D0656675

Heinz Rühmann, 1902 in Essen geboren, gewann als Schauspieler vor allem durch seine Verkörperung des »kleinen Mannes« in vertrackten Situationen die Herzen des Publikums, überzeugte aber auch als gefeierter Charakterdarsteller gerade in den letzten Jahren bei anspruchsvollen Theaterproduktionen. 1982 erschien seine vielbeachtete Autobiographie »Das war's«, später die Anthologien »Glück über den Wolken«, eine Sammlung amüsanter Fliegergeschichten, »Wenn die Komödianten kommen«, Geschichten rund ums Theater, »Betragen ungenügend«, fröhlich-besinnliche Schülergeschichten, und »Mit Schirm, Charme und Soutane«, Kriminalstories à la Rühmann (diese auch als Goldmann-Taschenbuch 9344).

Die schönsten Advents- und Weihnachtsgeschichten ausgewählt von

HEINZ RÜHMANN

GOLDMANN VERLAG

Ungekürzte Ausgabe

Umwelthinweis:
Alle bedruckten Materialien
dieses Taschenbuches
sind chlorfrei und umweltfreundlich.
Das Papier enthält bereits Recycling-Anteile.

Der Goldmann Verlag
ist ein Unternehmen der Verlagsgruppe Bertelsmann

Made in Germany · 3. Auflage · 7/92

Umschlagentwurf: Design Team München
Umschlagfoto: Walter Schels, München
Druck: Elsnerdruck, Berlin
Verlagsnummer: 9900
MV · Herstellung: Heidrun Nawrot/SC
ISBN 3-442-09900-5

Inhaltsverzeichnis

Was mir Weihnachten bedeutet

RIEDE AUF ERDEN – allein schon wegen dieser drei Worte, mit denen die Geburt Christi im Lukas-Evangelium verkündet wird, ist für mich der Weihnachtsabend der schönste Feiertag des Jahres.

Ich glaube, daß die Botschaft dieser drei Worte gerade für Menschen, die wie ich zwei Weltkriege miterlebt haben, nicht nur ein unverbindliches Versprechen ist. Ich jedenfalls empfinde sie vor allem als Verpflichtung. Als Auftrag mitzuhelfen, den Frieden auf Erden zu einer Selbstverständlichkeit für alle werden zu lassen.

Kein anderes Fest wird in den verschiedenen Lebensaltern so unterschiedlich erlebt wie Weihnachten. Jeder hat *sein* Weihnachten, meine ich. Jeder gibt diesem schönen, alten deutschen Wort seinen ganz persönlichen Sinn. Und dies seit jenem 24. Dezember, da er als Kind dieses Wort zum ersten Mal aussprechen und dessen Bedeutung nur ahnen konnte.

Bei mir liegt das nun über achtzig Jahre zurück, aber der Duft der Bratäpfel, das Gewürz der Lebkuchen und der Geschmack des Stollens meiner Mutter ist sogleich wieder gegenwärtig, wenn die Kerzen brennen …

Seit gut zehn Jahren kann ich mir in der Adventszeit die Freude machen und im Hamburger »Michel« Weihnachtsgeschichten lesen. Eine größere Auswahl meiner Lieblingsgeschichten habe ich nun in diesem Band zusammengestellt.

Es sind ernste, sentimentale, heitere und rührend-naive darunter, bunt gemischt. Alles, was für mich Weihnachten ausmacht, habe ich einzufangen versucht. Bleibt nur die Hoffnung, daß auch Ihre Lieblingsgeschichte dabei ist und vielleicht diese oder jene, die Sie noch nicht kennen.

Den Abschluß dieser Sammlung bildet – genau wie bei meinen Lesungen – Manfred Hausmanns Gedicht »Weg in die Dämmerung«. Dieser Weg kann für mich nur ein Ziel haben: FRIEDE AUF ERDEN.

Frohe Tage
Ihr

Hans Christian Andersen

Das Mädchen mit den Schwefelhölzern

s war grausam kalt; es schneite und der Abend brach herein. Es war der letzte Abend im Jahr, Neujahrsabend. In dieser Kälte und Dunkelheit lief ein kleines, armes Mädchen mit bloßem Kopf und nackten Füßen durch die Straßen. Freilich hatte sie Pantoffeln angehabt, als sie von daheim weggegangen war, aber was konnte ihr das jetzt helfen! Es waren sehr große Pantoffeln, die ihre Mutter früher getragen hatte, viel zu groß waren sie, und die Kleine hatte sie verloren, als sie über die Straße eilte, wo zwei Wagen schrecklich schnell vorbeigefahren waren. Der eine Pantoffel war nicht zu finden, und mit dem anderen lief ein Junge davon. Er hatte gesagt, er könne ihn als Wiege gebrauchen, wenn er selbst Kinder bekäme.

Da ging nun das kleine Mädchen auf ihren nackten kleinen Füßen, die rot und blau vor Kälte waren. In einer alten Schürze trug sie eine Menge Schwefelhölzer, und ein Bund hatte sie in der Hand. Den ganzen Tag lang hatte ihr niemand etwas abgekauft, niemand hatte ihr auch nur einen Schilling gegeben.

Hungrig und verfroren lief sie umher und sah ganz verzagt aus, die arme Kleine! Die Schneeflocken fielen auf ihr langes, blondes Haar, das sich so hübsch im Nacken kräuselte; aber daran dachte sie freilich nicht. Aus allen Fenstern heraus strahlten die Lichter, und in den Straßen roch es herrlich nach Gänsebraten; es war ja Neujahrsabend, ja, daran dachte sie!

In einem Winkel zwischen zwei Häusern, das eine ragte ein wenig weiter in die Straße hinein, setzte sie sich nieder und kauerte sich zusammen. Die kleinen Beinchen hatte sie dicht an den Leib gezogen; aber sie fror immer mehr. Nach Hause wagte sie auch nicht zu gehen; sie hatte ja keine Schwefelhölzchen verkauft und nicht einen einzigen Schilling bekommen. Der Vater würde sie schlagen, und kalt war es auch zu Hause. Sie hatten nur das Dach über sich, wo der Wind hindurchpfiff, obgleich die größten Risse mit Stroh und Lumpen verstopft waren. Ihre kleinen Hände waren vor Kälte schon fast abgestorben. Ach! ein kleines Schwefelhölzchen müßte gut tun! Dürfte sie nur wagen, eins aus dem Bunde herauszuziehen, es an der Wand anzuzünden und die Finger daran zu wärmen. Sie zog eins heraus; ritsch! wie es sprühte und brannte! Es war eine warme, helle Flamme wie ein kleines Licht, als sie die Hand darum hielt. Es war ein wundervolles Licht! Dem kleinen Mädchen war es, als säße sie vor einem Kachelofen mit blanken Messingbeschlägen und Zierat. Das Feuer brannte so schön und wärmte so gut! Die Kleine streckte schon die Füßchen aus, um auch diese daran zu wärmen, – da erlosch die Flamme. Der Kachelofen verschwand, – sie saß mit einem kleinen Stumpf des ausgebrannten Schwefelhölzchens in der Hand da.

Ein neues wurde angestrichen; es brannte, es leuchtete, und wo sein Schein auf die Mauer fiel, wurde diese durchsichtig wie ein Flor. Sie sah gerade in die Stuben hinein, wo der Tisch mit einem blendend weißen Tuche und feinem Porzellan gedeckt stand, und herrlich duftete die mit Äpfeln und Zwetschgen gefüllte, gebratene Gans! Und was noch prächtiger war, die Gans sprang von der Schüssel und watschelte mit Gabel und Messer im Rücken gerade auf das arme Mädchen zu; da erlosch das Schwefelhölzchen, und nur die dicke kalte Mauer war noch zu sehen.

Sie zündete ein neues an. Da saß sie unter dem herrlichsten Weihnachtsbaum; er war noch größer und schöner geputzt, als sie es durch die Glastür bei dem reichen Kaufmann jetzt, am letzten Weihnachtsabend, gesehen hatte. Tausende von Lichtern brannten auf den grünen Zweigen, und bunte Bilder, wie sie als Schmuck in den Schaufenstern stehen, blickten zu ihr nieder. Die Kleine streckte beide Hände aus, – da erlosch das Schwefelhölzchen. Die vielen Weihnachtslichter stiegen höher und höher, sie sah nun, daß es die klaren Sterne waren; einer von ihnen fiel herab und zog einen langen Feuerstreifen über den Himmel.

»Nun stirbt jemand!« sagte die Kleine, denn die alte Großmutter, die einzige, die gut zu ihr gewesen war – aber nun war sie auch tot –, hatte gesagt: »Wenn ein Stern herabfällt, geht eine Seele zu Gott ein!«

Sie strich noch ein Schwefelhölzchen gegen die Mauer, es leuchtete rings umher, und im Glanze stand ihre alte Großmutter so klar, so leuchtend, so mild und so gut vor ihr.

»Großmutter!« rief die Kleine, »o, nimm mich mit! Ich weiß, du bist fort, wenn das Schwefelhölzchen ausgeht, fort, gerade wie der warme Kachelofen, der herrliche Gänsebraten und der große, schöne Weihnachtsbaum!« – und hastig strich sie das ganze Bund Schwefelhölzchen an; sie wollte die Großmutter recht lange behalten. Die Schwefelhölzchen leuchteten in solchem Glanze, daß es heller war als der lichte Tag. Die Großmutter war früher nie so schön, so groß gewesen; sie hob das kleine Mädchen auf ihren Arm, und sie schwebten empor zu Glanz und Freude, so hoch, so hoch! Dort oben war keine Kälte, kein Hunger, keine Angst, – sie waren bei Gott.

Aber im Winkel am Hause saß am kalten Morgen das kleine Mädchen mit roten Wangen, ein Lächeln um den

Mund – tot, erfroren am letzten Abend im alten Jahr. Der Neujahrsmorgen ging auf über der kleinen Leiche, die mit den Schwefelhölzern, wovon ein Bund fast verbrannt war, dasaß. Sie hat sich wärmen wollen, sagte man. Keiner wußte, was sie Schönes gesehen hatte, in welchem Glanze sie mit der alten Großmutter zur Neujahrsfreude eingegangen war.

Paula Modersohn-Becker
Brief an Rainer Maria Rilke

Bremen, Wachtstraße 43
Immer noch Weihnachten

ieber Freund,
Mir ist die ganze Zeit so nach Weihnachten zu Mute, und mir ist so, als müßte ich zu Ihnen kommen und Ihnen das sagen. Es ist solch ein wunderbares Fest. Und ist eins das lebt und wärmt. Es ist ein Fest für Mütter und Kind, und auch für Väter. Es ist ein Fest für alle Menschheit. Es kommt über einen und legt sich warm und weich auf einen und duftet nach Tannen und Wachskerzen und Lebkuchenmännern und nach vielem, was es gab, und nach vielem, was es geben wird. Ich habe das Gefühl, daß man mit Weihnachten wachsen muß. Mir ist, als ob dann Barrikaden fallen, die man mühsam und kleinlich gegen so vieles und viele aufgebaut hat, als ob man weiter würde und das Gefäß allumfassender, auf daß darin jedes Jahr eine neue weiße Rose aufblühe und den andern zuwinkt und in sie hineinleuchtet und ihnen die Wange streicht mit ihrem Geschimmer und die Welt erfüllt mit Schönheit und Duft. Und das ist Leben, und ist ein Leben wie ein Gebet, ein frommes Gebet, ein jauchzendes Gebet, ein liebliches und lächelndes Gebet, welches immer tiefer hinabsteigt in den Sinn des Seins, dessen Auge größer wird und ernster, weil es viel gesehen. Und wenn es alles gesehen das letzte, dann darf es nicht mehr schauen, dann kommt der Tod. Und vielleicht versöhne ich mich in diesem Sinne mit dem Tod, weil ich

ihn ja auch einst leiden muß. Dann ist es besser so. – Ich freue mich darauf, wieder mit Ihnen zu sprechen. Sie hören so gut und freundlich zu, und ich habe keine Scheu, die Dinge so zu nennen, wie sie in mir liegen.

Wir haben eine schöne grüne Weihnachtslaube im Wohnzimmer. Mein kleiner Bruder hat sie gebaut. Das ist ein schöner Winkel für Ihre Geschichten vom lieben Gott. Ich habe sie Milly unter den Weihnachtsbaum gelegt, und sie ist sehr froh und läßt Sie grüßen. Und ich grüße auch schön und freue mich auf Sie und über Sie. Sie sind dann in Berlin mein einzigstes Stück Worpswede, und das ist viel. Es dunkelt. Ich sitze im Wesererker und lasse das Wasser unter mir vorbeigleiten. Sonst macht mich dies Wasser immer so traurig. Es ist so langsam und lautlos und geduldig, und die langen Kähne liegen darauf, als weinten sie still. Und eigentlich weint sonst alles, was um das Wasser herum steht, die großen roten Speicher und die kleinen weißen Häuser, und wenn sie sich im Wasser spiegeln, dann zittern sie und weinen noch mehr. Ich glaube aber, heute weinen sie nicht, denn es ist Weihnachten. Die Häuser weinen heute, glaube ich, nicht und das Wasser auch nicht, nur ist es still und alt und traurig und gut und lächelt nur selten und wie mit Schmerzen, denn das Leben hat es gelb und mürbe gemacht. Wie mein lieber Vater ist es. Dem war sein Leben auch zu schwer und der Tage zu viel, die die Lichtlein und Kerzen und Feuerbrände in ihm auslöschten. Ich muß Ihnen einmal etwas von ihm erzählen. Er ist einer, der mir den Gedanken gab, daß Altwerden schrecklich wäre. Nun glaube ich es aber doch nicht mehr. Leben Sie wohl. Ich muß abbrechen. Es war nur eine kurze stille Stunde, die mir blühte. Jetzt kommt wieder die Welt mit ihren Anforderungen. Da versuche ich denn auch, manche zu erfüllen, denn ich habe es ja so gut. *Ihre*

Paula Becker

Rudolf Hagelstange

Innerer Frieden vor dem Fest

ie weihnachtliche Botschaft vom Frieden auf Erden und dem Wohlgefallen der Menschen vernehmen wir jedes Jahr aufs neue, und wenn es hoch kommt, denken wir dabei an den äußeren Frieden in der Welt – einen Zustand, der heute leider schon gleichbedeutend ist mit Nicht-Krieg –, an das Verhältnis zu unseren Nachbarn vielleicht und an das Wohlgefallen, das wir bei unseren Angehörigen auslösen, indem wir ihnen unsere Fürsorge angedeihen lassen und sie zum Feste überdies durch Geschenke erfreuen. Allzu wenige aber denken dabei noch an die Wurzel dieser verschiedenen Friedensbeweise: an den Frieden, in dem wir mit uns selbst leben.

»Der hat seinen Frieden« – sagten unsere Eltern und Großeltern zu ihrer Zeit noch manchmal, wenn sie von einem Verwandten oder Bekannten sprachen, der ein zufriedenes, ausgewogenes Leben führte; und es wollte uns oft scheinen, als ob ein wenig Neid in diesen Worten mitschwänge. Neid auf was – das verstanden wir noch nicht, um so weniger, wenn von Menschen die Rede war, die ganz und gar nicht mit irdischen Reichtümern gesegnet waren. Aber die Eltern und Großeltern wußten schon, was sie meinten. Sie sprachen vom inneren Frieden des Menschen, von seinem Einklang mit sich selbst. Und wenn vom Gegenbeispiel die Rede war, dann hieß es vielleicht: »Das ist ein friedloser Mensch, ein Gehetzter. Der ist sich selbst nicht grün.«

Von solchen Dingen reden wir selbst heute kaum noch. Das gute Beispiel (von dem, der seinen Frieden hat) ist allzu selten geworden. Das schlechte Beispiel aber (von dem gehetzten, dem friedlosen Menschen) ist uns so geläufig, so zur gewohnten Erscheinung geworden, daß davon kaum noch zu reden lohnt. Und vielleicht auch deshalb nicht, weil wir dabei an unsere eigene Brust schlagen und von uns selbst sprechen müßten.

Aber – es ist wohl an der Zeit, davon zu sprechen, darüber nachzudenken und sich Rechenschaft zu geben über das Warum und Wozu unseres gehetzten Lebensstiles, der sich nicht nur im äußeren Bilde unseres Alltags zu erkennen gibt, sondern sich tief eingefressen hat in unser Wesen, unser Selbst. Ja, es wäre wohl zutreffender zu sagen, daß alle Hast und Hatz des modernen Menschen im äußeren Ablauf seines Lebens nur das Spiegelbild seiner inneren Friedlosigkeit ist und daß wir der vielen Verführungen, Beanspruchungen, Ablenkungen und Abnutzungen, die das technische Zeitalter in sich trägt und mit sich bringt, nur deshalb so unzureichend Herr werden, weil wir im Innersten unseres Wesens so ohne Ordnung, ohne Friede, ohne Muße sind.

Auch von Muße hört man heute kaum noch jemanden sprechen, es sei denn höchstens, daß man irgendein Unternehmen »müßig« – und das bedeutet nutzlos – oder einen Menschen müßig – und das hieße faul – nennt. Der Mensch ohne Muße bedarf auch des Wortes Muße nicht mehr. Mit einer Realität sterben auch die Begriffe aus und mit den Begriffen schließlich auch die Worte. Wo der Mensch verarmt, verarmt auch seine Sprache.

An die Stelle der abklärenden Muße ist heute vielfach der »Betrieb« getreten. Wer noch Zeit zur Muße hat, kann darum doch nicht müßig sein. Denn müßig sein hieße: mit sich allein sein, sich mit sich selbst beschäftigen, in Ruhe seiner selbst innewerden. Dies letztere aber – seiner selbst innewerden – scheint ein fürchtenswerter Zustand zu sein, ein Zustand, den man meiden sollte. Jedenfalls nehmen es die wenigsten wahr, ihn aufzusuchen. Der weitaus überwiegende Teil der Zeitgenossen stürzt sich dafür in Unternehmungen mehr oder weniger zufälliger oder gleichgültiger Art. Man macht (und spricht dies wörtlich so aus) »Betrieb«, man ist »unterwegs«, »auf den Beinen«, »auf der Achse« – oder wie dergleichen Redewendungen sonst lauten mögen. Und es macht den Eindruck, man sei in Wahrheit auf der Flucht vor sich selbst.

Das hat auch seine verhängnisvollen Folgen für unser Verhältnis zu unserer Umwelt. Denn wenn der Mensch seiner selbst nicht mehr innewird, findet er auch nicht zu einem sicheren Standort der Allgemeinheit – oder wie man sagt: der Gesellschaft – gegenüber. Ohne seine »menschliche Auskömmlichkeit mit sich selbst« kann er auch seiner als eines selbständigen Einzelwesens, als einer, der für sich selbst steht, im Rahmen des Ganzen nicht innewerden. Und da er sein Eigenes nicht mehr sicher erfaßt – wie soll er es dann wirksam verteidigen können?! Und so tritt er auch hier seine Interessen ab an Interessen-Gemeinschaften, die sich ihm allenthalben anbieten. Er gibt sie ab an Bewegungen, Gruppen, Klassen. Parteien usw. Und so scheint auch die Sorge für den Nächsten nur noch durch Gruppen-Lösung behebbar. Denn da wir keine Muße mehr für uns selbst haben, wo sollen wir sie für den anderen hernehmen?! Diese Sorge müssen uns Organisationsformen abnehmen, denen wir überlassen, in unserem Namen zu handeln. Und so wird alles unpersönlich, und ehe wir uns versehen, kann das Unpersönliche – wie einst im Nationalsozialismus und heute im Kommunismus – ins Unmenschliche umschlagen. Nicht, weil wir dies wollten; sondern weil wir uns nicht die Muße nahmen, dies alles zu durchdenken. Der Mensch ohne Muße wird, ganz zwangsläufig, am Ende »gedankenlos«.

Dies alles hat nichts mit Philosophie oder Weltanschauung zu tun, und was wir Muße nennen, ist keine Erfindung für sogenannte bessere Leute. Sie ist das leibliche, seelische, geistige Atemholen, ohne das kein menschliches Wesen auf die Dauer als Mensch leben kann, am wenigsten aber der arbeitende Mensch unseres schnellen Zeitalters.

Wie verwunderlich, aber zugleich höchst aufschlußreich für unsere Betrachtung ist das Verhalten des Menschen außerhalb seines Dienstes heute, seiner Arbeitszeit, also dann, wenn es gelten sollte, die verausgabten Kräfte zu ersetzen, zu sich selbst und zur Ruhe zu kommen! Und dies nicht nur im Hinblick auf Feierabend und Wochenende, sondern auch in Hinsicht auf seinen Urlaub, seine Ferien. Anstatt nämlich in einer gesunden Reaktion (was Gegen-Handlung bedeutet) um Ausgleich bemüht zu sein, heißt Feierabend und Freizeit-Gestaltung nichts anderes als Fortsetzung des »Betriebes« in zwangsloserer Form. Wo Rast das Gebot wäre, huldigt man weiter der Unrast. Man setzt die Ablenkung von sich selbst (die zwangsläufige durch Beruf und Beschäftigung) durch mehr oder minder sinnlose oder aufreibende Formen von Unterhaltung fort, wie sie ein beflissenes Gewerbe dem planlosen Bedürfnis nach Ablenkung aufdrängt. Einmal »im Betrieb«, setzt man diesen fort – bis zur Erschöpfung.

Spürt man den Gründen für diese Unfähigkeit nach, so gibt es wohl verschiedene. Der eine liegt in einfacher Gedankenlosigkeit. Der andere rührt von einer ausgesprochenen Furcht vor dem Alleinsein her: Der Mensch hat Furcht vor sich selbst, seiner Unzulänglichkeit. Ein dritter Grund mag in einer immer noch weitverbreiteten Existenzangst liegen: Manch einer glaubt, durch ein Ausruhen wichtiger Chancen verlustig zu gehen, und betreibt auch im Urlaub mit linker Hand sein Geschäft weiter. Den einen läßt der Ehrgeiz nicht zur Ruhe kommen; der andere ist schon zu einer Maschine geworden, die keinen Stillstand mehr kennt. Dieser betäubt sich, jener lenkt sich ab.

Manches können uns Bürokratie, Gesellschaften, Institutionen, Werk- und Betriebsgemeinschaften abnehmen – eines aber können sie uns, dürfen sie uns nicht abnehmen: die Gestaltung unserer Freizeit, das Recht auf persönliche Muße. Mag dieser und jener auch meinen, es könne gleich sein, was er mit sich selbst anfange – die Gesetze der menschlichen Natur werden ihn eines Tages belehren darüber, daß Raubbau und Fahrlässigkeit, pausenlose Betriebsamkeit und Zerstreuung weder den besseren Menschen in ihm zu Frieden bringen, noch daß er auf solche Weise das Wohlgefallen seiner Mitmenschen erwerben kann. Die Kräfte des Menschen – die des Erfinders und Künstlers ebenso wie die des Ingenieurs und Arbeiters – bedürfen der Erneuerung, wenn sie wach und wirksam bleiben wollen.

Aber da das Fest des Friedens und des Wohlgefallens unsere Gedanken und Sorgen in diese Richtung lenkte, wollen wir Leistung und Arbeitskraft einmal am Rande lassen und zu den Erwägungen zurückkehren, die den Menschen als den Schmied seines eigenen Glücks ansprachen. Wir müssen die Kraft aufbringen, die Kraft und den Mut, bei aller zwangsläufigen, ja wegen dieser zwangsläufigen Betriebsamkeit, unserer selbst als Menschen und Einzelwesen bewußt zu bleiben. Es gibt Millionen von Menschen, denen ein staatliches Zwangsregime das Recht auf ihre Individualität abspricht, und wir wissen alle, wie schwer und schmerzlich das Leben der Unfreien ist. Sie haben kein Recht auf Muße, weil die Zwangsherren gut wissen, daß Muße zu denken erlaubt und daß, wer denkt, zu Einsichten kommt und daß, wer Einsichten hat, auch zu Handlungen schreiten kann. Wissen wir, wie wenig uns im Grunde von diesen Rechtlosen trennt, wenn wir selbst nicht sinnvoll Gebrauch machen von unserem Recht auf Freiheit und Muße? Wie wir in Gedankenlosigkeit abstumpfen und am Ende auch das verlieren müssen, auf was wir aus Trägheit oder Fahrlässigkeit verzichten?!

Die Botschaft vom Frieden und vom Wohlgefallen ist zuerst an die Hirten von Bethlehem ergangen. Weshalb an die Hirten? Sind dies nicht allzu einfache, belanglose Stellvertreter des Menschen, die der Engel da ansprach? Im Buch der Bücher geschieht nichts ohne tiefen Sinn, und es hat eine ernste Bewandtnis damit, daß Hirten zuerst diese Botschaft vernehmen. Denn der Hirt ist ein Mensch der Muße. Er ist tagelang mit sich und der stummen Kreatur allein. Er muß mit sich selbst auskommen. Er kann niemals sich selbst davonlaufen. Er ist abgeklärt, besonnen, gedankenvoll, ja auf eine einfache Art weise. Seine Muße befähigt ihn zu Erkenntnissen und Maßen, um die viele ihn beneiden dürfen. Mußten nicht im Altertum die jungen Könige eine Zeit als Hirten in die Einsamkeit gehen, ehe man sie für wert hielt, die Völker zu weiden? Und so galt der Hirte viel, wiewohl er arm war. Er war doch so reich an Zeit, an Muße, an Selbstbesinnung. Er sprach viel mit sich selbst und fragte in sich hinein; und wenn er ein Wort hörte, so vernahm er es auch.

Der Bote des Himmels wußte, daß niemand besser seine Botschaft verstehen würde als der »müßige« Hirt auf dem Felde, der in sich selbst ruhte.

Wir Heutigen – hätten wir die Botschaft vernommen? Hätten wir in unserer Hast, auf unserer Flucht vor uns selbst überhaupt »Zeit« gefunden, hinzuhören? Wir jagen dem Glück nach, das ein Phantom ist, aber »das Glück rennt hinterher«. Und je schneller wir hasten, um so weniger vermag es, uns Flüchtlinge zu erreichen.

Denken wir der Hirten und der Botschaft, die an sie erging! Vielleicht geben uns die weihnachtlichen Tage endlich die Muße, darüber nachzudenken, was uns zum Heile dient, und zu erkennen, daß der äußere Friede, den alle ersehnen, nicht von einem Geschlechte kommen kann, das seinen inneren Frieden nicht mehr zu hüten versteht.

Ilse Aichinger
Vor der langen Zeit

ch glaube, ich war damals acht oder neun Jahre alt. Ich sehe die Laienschwester vor mir, eine der Schwestern, die aufräumen und die – zum Unterschied von den höheren Ordensfrauen – die weißen Hauben tragen. Ich sehe sie gegen die halbgeöffneten Fenster des Festsaals, das helle und ein wenig verdrossene Licht des frühen Nachmittags und den Staub, der wie Weihrauch aufsteigt und sich in diesem Licht bewegt, gegen die kahlen feuchten Äste draußen im halben Wind. Und dann erinnere ich mich. Ich erinnere mich der Stunde, die diesem Staub und diesem Licht und dieser Schwester aufgesetzt ist: es ist kurz nach drei Uhr nachmittags, am dreiundzwanzigsten Dezember. Und ich weiß in diesem Augenblick, daß jetzt Weihnachten ist, zu dieser Stunde, daß es jetzt schon ist, nicht erst morgen – und daß nichts sie überbieten wird. Es ist eine Stunde ohne Stern im Finstern, ohne Schnee, ohne Baum, und die Kuppel der russischen Kirche drüben in dem milchigen Himmel sieht aus, als wäre auch sie von Staub überzogen. Und doch weiß ich in diesem Augenblick: Es ist jetzt. Alles vergewissert mich dessen: die halb abgewandte Schwester mit Besen und Schaufel in den Händen, die auf den Kopf gestellten Sessel und die Stimmen der andern, die sich an der Pforte unten verabschieden, ehe sie in die Ferien gehen. Ich gehe langsam die Treppen hinunter, durch den dunklen Raum, in dem die Kirchschleier aufbewahrt werden, an dem Sprechzimmer mit den gläsernen Türen und den Gummibäumen vorbei. Ich läute unten und lasse mir von der Pfortenschwester Mantel und Mütze in Ordnung bringen und sage »Fröhliche Weihnachten«, ehe ich gehe. Und dabei denke ich noch einmal an den verlassenen Festsaal, an die Stunde, die ich verließ.

Es gab Jahre, in denen Weihnachten schon auf den zweiten Dezember fiel, auf einen Augenblick, in dem wir uns auf einer Truhe im Gang die etwas zu engen Schneeschuhe überzuziehen versuchten. Und im Grunde fiel es mit jedem Jahr, das ich älter wurde, früher. Einmal auf einen Augenblick im Oktober, in dem meine Großmutter den Parkwächter des Botanischen Gartens fragte, weshalb heute schon früher gesperrt würde – einmal sogar mitten in den September hinein.

Und die Zeit, die dann zwischen diesem Augenblick und dem Heiligen Abend verstrich, war keine Zeit, war viel eher ein Teil des Raumes geworden, ein dunkler, stiller Flügel, der sich gefaltet hatte über dem Rattern der Straßenbahnen, dem Küchenlärm am Sonntag, der Stimme des Geographielehrers am halben Vormittag. Etwas, das zugleich abdämpfte und deutlich machte. Das die Angst, es könnte vorbei sein, diese ärgste Angst, Weihnachten könnte vorübergehen, beschwor, zur Gewißheit steigerte und damit ausschloß.

Viel später, als ich schon erwachsen war, erzählte mir jemand, er hätte an einem heißen Augusttag in der Nähe des Seebades Brighton aus einem kleinen Kofferradio das Lied »Stille Nacht« gehört. Da fiel mir meine Kinderzeit ein, und ich dachte, vielleicht wären die Leute in dem Boot bei Brighton auf dem rechten Weg. Vielleicht müßte man, damit Weihnachten wieder auf Weihnachten fiel, das Jahr nach der andern Richtung hin durchstoßen, durch den Hochsommer, durch den April und den März, durch diese schwierigen und nüchternen Monate hindurchkommen, um wieder im Dezember zu sein. Vielleicht hängen die viel zu früh und viel zu oft an allen Bahnstationen und auf den verlassensten Autobushaltestellen aufgerichteten Christbäume bis zu einem kleinen Grad auch mit derselben Angst zusammen, es könnte vorbei sein; Weihnachten, dieser lebengebende Augenblick, könnte irgendwann einmal nicht sein – mit dem Verlangen, die Zeit aus dem Raum zu drängen. Denn die Angst hat ja zugenommen und das Verlangen auch.

»Mutter, ich habe den Heiligen Geist gesehen«, sagt das Mädchen Sanna in der Erzählung »Bergkristall« von Stifter. Und es hat ihn in der Heiligen Nacht gesehen, im rechten Augenblick. Jetzt wird es in Ruhe den Januar und den März kommen lassen, den Juni, Juli und August, und es wird auch am dreiundzwanzigsten Dezember des nächsten Jahres den Augenblick nicht vorwegnehmen. Was sollen wir aber tun, damit die Christnacht wieder in die Christnacht fällt? Wie sollen wir ohne die Vorwegnahme aller Feste den um so vieles gesteigerten Küchenlärm dieser Zeit ertragen und im stärksten Zwielicht die Stimmen ihrer Lehrer, die von immer neuen Todesarten wissen? Wie sollen wir die Verschiebungen der Furcht und des Verlangens wieder von uns lösen und uns den Festen und den Ernüchterungen anheimgeben, wie sie kommen?

Ich erinnere mich, daß es mir außer in der frühesten Kindheit nur mehr kurz vor dem Krieg und im Krieg gelungen ist. Damals, als die äußere Bedrängnis der inneren zu Hilfe kam und beide zusammen wie zwei Engel den Augenblick wieder in sein Recht setzten.

In Österreich hatten zu Weihnachten 1938 Verfolgung und Unsicherheit für viele Familien begonnen. Auch wir hatten unsere Wohnung verlassen müssen und wohnten bei unserer Großmutter. Meine Schwester und ich lagen miteinander in einem Bett im Wohnzimmer, und auf dem Klavier neben dem Bett stand der Christbaum. Wenn man nachts erwachte und sich aufrichtete, konnte man zuweilen die Silberfäden in dem Ebenholz sich spiegeln sehen. Noch einmal brandete die Kindheit gegen alle Mauern, warf sich von dem eiskalten und unbewohnten Salon her gegen die Türen, zitterte mit den schlecht verkitteten Scheiben, wenn unten auf der kleinen Bahnlinie ein Lastwagen vorüberfuhr in der Richtung nach Osten. Vielleicht waren es dieselben Lastwagen, die nur wenig später den Deportationen dienten – noch verteilte sich der Rauch der altmodischen Lokomotive wie Licht auf dem Nachthimmel, noch dienten sie der Kindheit.

Aber vielleicht, daß diese beiden Dienste auf eine geheimnisvolle und undurchschaubare Weise zusammenfielen, daß die späteren furchtbaren und oft ohne Trost durchstandenen Leiden so vieler der kurzen und ebenso ungeschmälerten Freude dieses Festes zu Hilfe kamen. Denn vermutlich hat die äußerste Bedrängnis mit der äußersten Geborgenheit mehr zu tun als das Mittlere mit beiden von ihnen. Jedenfalls fiel in diesem Jahr und auch in den folgenden noch um vieles elendere Weihnachten wieder auf Weihnachten, uneingeschränkt und angstlos wie in der frühesten Zeit.

Wenn man den Schmerz ermißt, von dem ich überzeugt bin, daß er dieser und aller Freude dient, der Kindheit, dem Christfest – den ungetrösteten und ungestillten Schmerz aller Jahrtausende, so ermißt man die Schulden, die von jedem von uns abzutragen sind. Wenn es uns gelänge, und sei es auch nur durch die Hinnahme der Ernüchterung, der Angst und Verwirrung dieser Zeit: vielleicht fiele dann noch einmal der Heilige Abend, die Stimme des Engels auch für uns wieder in die Heilige Nacht.

Ernst Heimeran

Erinnerung an die Schiebetür

s ist so süß, sich zu erinnern. Es macht so warm von innen. Dabei sind es manchmal die kleinsten Begebenheiten, klein am Augenblicke ihres Erlebens gemessen, die groß und voll werden im Nachgeschmack.

Solcherart ist die Erinnerung an unsere Schiebetüre. Es war an sich nichts Besonderes an ihr, was des Erinnerns wert wäre. Allenfalls das, daß sie zwei Flügel hatte, die sich teilten und in der Wand verschwanden wie ein Theatervorhang, eine recht ansehnliche Einrichtung also für unsere häuslichen Verhältnisse. Sie war das Größte an unserer kleinen Wohnung, kann man sagen. Wir hatten sie uns beim Bau ausdrücklich ausbedungen, um doch wenigstens ein Bücher- und Schreibkabinett vom Universalwohnzimmer abzugrenzen. Wenn wir die Schiebetür schlossen, hatten wir ein Zimmerchen mehr, und wenn wir sie öffneten, genossen wir das Glück, daß wir wieder alle beisammen waren. Wir alle: das waren wir drei. Wir waren noch eine ganz kleine Familie mit einem ganz kleinen Kind in einer ganz kleinen Wohnung.

Da kam nun Weihnachten heran. Wir freuten uns sehr darauf, daß wir diesmal dem Christkind unser Christianekind mitbringen durften zum Spielen. Aber wenn das Christkind nun fragen sollte: »Wo ist eigentlich euer Weihnachtszimmer?«, das könnte uns schön in Verlegenheit bringen. Danach fragt das Christkind zwar nicht, es braucht keinen größeren Platz als ein Herz. Aber wir waren gewöhnt, so zu fragen von daheim, wo es natürlich besondere Weihnachtszimmer gegeben, in denen sich wochenlang vor dem Fest das Christkind hatte ausbreiten können mit seinen Eisenbahnen, Kaufläden, Puppenstuben, Glaskugeln und einer Unmasse von Päckchen, Paketen, Papier, Holzwolle und Kerzen.

So ein richtiges Weihnachtszimmer hatten wir nicht zu bieten. Dafür hatten wir aber die Schiebetür. Wir konnten doch ausnahmsweise einmal am Schreibtisch essen und Christianens Wägelchen ganz gut zwischen den Regalen mit Brehms Tierleben und Grimms Wörterbuch unterbringen, solange auf der anderen Schiebeseite das Christkind das Fest vorbereitete.

Wer von uns dem Christkind zur Hand gehen sollte, war Gegenstand längerer Beratung. Am besten verstehen sich darauf die Mütter. Sie sind auch geschickter, den Baum zu putzen, vorausgesetzt, daß er einmal fest im Ständer steht, und dafür hatte ich vorgesorgt. Infolgedessen kamen wir überein, daß ich mich lieber den Hausgeschäften widmen sollte, um die Mutter ungestört dem Christkind zu überlassen.

So wurde denn die Schiebetür zugezogen, und während auf der einen Seite das Christkind hantierte, wartete auf der andern der Vater sein Kind. Das war recht gemütlich, denn das Kind schlief zumeist oder spielte erwachend mit seinen Händchen. Zu den festgesetzten Zeiten kam die Mutter zum Stillen herein, und so rückte die Stunde der Bescherung ganz friedlich näher.

Es war vereinbart, daß bei einbrechender Dämmerung die Weihnachtsmusik anheben, hiernach das Klingelzeichen ertönen und die Schiebetüre sich auftun sollte. Was die Weihnachtsmusik betraf, so war es bei uns beiden daheim üblich, Weihnachtslieder zu singen; doch versprach ich mir nicht viel davon, wenn ich nun allein hätte singen wollen. Ich nahm daher die Viola aus dem Kasten und spielte lieber die altvertrauten Melodien. Der dunkle Bratschenton, von einigen Akkorden untermalt, klang zwischen Büchern und Schiebetüre recht feierlich, so daß Christiane in ihrem Wägelchen aufhörte zu quengeln, denn das lange Warten fing an, ihr zu mißfallen. Solange ich indessen spielte, hielt sie sich zu meiner großen Befriedigung staunend still, sobald ich absetzte, wurde sie wieder unruhig.

Ich spielte daher Lied um Lied. Um es genau zu sagen: Ich spielte die gespielten Lieder eben noch und noch einmal. Denn so groß war mein Weihnachtsrepertoire doch nicht, daß ich beständig neue Lieder hätte spielen können, nachdem ich »Stille Nacht«, »O du fröhliche«, »Vom Himmel hoch, da komm ich her«, »Vom Himmel hoch ihr Englein kommt« und ähnliches absolviert hatte. Ich schmuggelte auch andere Lieder ein, die einigermaßen paßten, beispielsweise »Morgen Kinder, wird's was geben«, obwohl das genaugenommen nicht zutraf. Heute ja, jetzt gleich sollte es Bescherung geben.

Warum das Christkind immer noch nicht läutete? Ich spielte wohl schon eine halbe Stunde. Es war ganz dunkel geworden zwischen den Büchern; die Weihnachtskerzen funkelten von drüben durch die Schiebetüre. Sie schloß nicht mehr ganz exakt, wie das eben in Neubauten bei vielen Türen und Fenstern vorkommt. Warum das Christkind immer noch nicht das Klingelzeichen gab zur Bescherung? Ich wiederholte mein Repertoire von neuem. Es wollte mir scheinen, als ob es mir unter den Fingern zusammenschrumpfe. Mir fiel nichts mehr dazu ein, im Gegenteil, mir entfielen sogar die Lieder, die ich eben noch gewußt hatte.

»Bist du denn noch nicht so weit, Christkindchen?« fragte ich da in meiner Not durch die Schiebetüre.

»Aber längst!« antwortete das Christkind. »Ich warte doch nur, daß du aufhörst zu spielen!«

Da setzte ich aber schleunigst ab, legte die Bratsche zur Seite, nahm die kleine Christiane auf den Arm, und unter seligem Gebimmel öffnete sich die Schiebetüre vor der strahlenden Fülle.

Aber erst jetzt nach vielen, vielen Jahren habe ich recht empfunden, was mich die gute Schiebetüre erleben ließ: welche Himmelsgabe es ist, wenn man durchs ganze Leben aufeinander behutsam zu warten weiß, von hüben wie drüben.

Sergius Pantojew

Weihnachtslegende

n jedem Wintermorgen erschien im Sektiererlokal der Lenoniten der Heizer. Der Ofen des Saales befand sich ausgerechnet hinter dem Katheder, war eine mannshohe Säule mit zwei Deckeln, und er glich jenen Öfen, wie man sie in den Bahnhöfen abgelegener Dörfer findet. Jeden Morgen kam also der Heizer, schüttete aus einem Kessel die Kohlenbrocken in den Ofen, lüftete den Saal und schloß nach einiger Zeit wieder die Fenster, die in die hohen, kahlen, weißgetünchten Wände eingelassen waren. Doch ich will nicht bei der Schilderung des Betsaales verweilen, denn in allererster Linie muß sich der Autor dem Menschen zuwenden..., obgleich das heute etwas aus der Mode gekommen ist.

Dieser Heizer war ein kleiner Mann von sechzig Jahren, mit kurzen Haaren und einem verwitterten Gesicht, und so blieb der Blick erstorben und die Lippen erstarrt. Wenn er Kohlen in das Ofenloch schüttete, erweckte der Mann den Eindruck eines kräftigen Arbeiters, wenn er aber seine Arbeit beendet hatte und vor dem Fensterglas seine Krawatte mit zwei rissigen Fingern nach dem Halse zuschob, dann hatte er etwas Rührendes, etwas ungemein Kindliches und Zartes, und man war versucht, innerlich zu schluchzen, denn, nicht wahr, die Kreatur, die nicht gerade Kampfstellung annimmt, sondern in ihrer Hilflosigkeit und Kindlichkeit dasteht, ist bemitleidenswert; mir geschieht es bisweilen, daß ich über der hilflosen Geste eines Menschen schwermütig werde. Es ist so, als ob der Betreffende von einer Geißel geschlagen würde, von der man nicht weiß, wer sie in der Hand hält.

Dieser Heizer besaß einen Hund, eine gewöhnliche Straßenmischung, ein Bastard sozusagen, wenn man mit Shakespeare reden will. Dieser Hund sah aus, als ob er einen geschwollenen Leib unter einer Last wirrer Haare und Zotteln trüge. Sie hingen ihm auch über die Augen, und die Leute standen still, wenn der Hund über die Straße lief, denn sie konnten es nicht verstehen, daß ein Hund gleichsam ohne Augen seinen Weg durch all die klirrenden und seufzenden Wagen hindurch finden könne. Es fiel auf, daß dieser Hund seinem Herrn auf eine recht merkwürdige Weise gehorsam war. Pfiff der alte Mann, dann wedelte der Hund etwa nicht an seinen Beinen empor, nein, er kam einfach zurück, blieb neben seinem Herrn ergeben stehen und hielt den Kopf ein klein wenig zur Seite geneigt. Er war nicht devot, nicht gemütvoll, wie die Hunde der alten Damen, die für jeden Zucker einen ganzen Zirkus aufführen. Es war ein stiller, ein scheuer Hund, und das machte ihn schön, nur daß eben sehr wenige Leute den Blick für eine solche Schönheit besaßen und den Hund eher komisch fanden. Der alte Mann liebte diese Schönheit wohl, aber auch er zeigte seine Freude nicht, sondern war mit seinem Hund eher streng und kurz angebunden. Aber wenn der Hund abends sich verspätet hatte, ging der Alte ans Fenster und sah nach dem Strand hinab, wo er in dem Schwarz, das die kahlen Bäume und die Uferpfosten einhüllte, seinen Hund suchte. Einmal ging er sogar auf die Straße hinab und pfiff leise, bis ein Student ihn ansprach und fragte, ob er auf ein Hundevieh warte. Sie kamen ins Gespräch, und der Student lachte: »Ist's nicht dieser Hund, wär's ein anderer. Sie lieben ganz einfach die Kreatur gemeinhin, ob sie nun Zotteln oder Zebrastreifen hat. Kommt Ihr Hund eines Tages nicht mehr nach Hause, dann werden Sie ihn laufen lassen; ja Sie kaufen sich einen andern, Sie werden sehen, wie schnell man sich wieder an ein anderes Tier gewöhnt. Es ist die Kreatur gemeinhin, die wir lieben, nicht irgend ein bestimmtes Tier.« Der Student lachte wissend und kichernd und zog sehr selbstbewußt die kalte Nachtluft durch die Nase. Der Alte ging heim und dachte mit seinem abgearbeiteten Kopf über die Worte des Studenten nach. Es war ihm unbehaglich, obgleich er das Gesagte nicht verstanden hatte. Er fühlte nur, es ging gegen seinen Hund, und offenbar sollte sein Hund nicht mehr zählen als alle andern Hunde, auch jene dort, die ihr Bein vor einem Pfosten nie zum Gruße hoben. Auf alle Fälle war der Alte sehr froh, als er nach Mitternacht vor dem Hause das bekannte Knurren hörte. So schnell war er noch nie in die Hosen geschlüpft und zur Türe hinabgeeilt! Der Hund hatte ein nasses, struppiges Fell, offenbar war er gejagt oder in einen Keller eingesperrt worden. Der Alte wischte das Fell des Tieres mit einem Lumpen ab, gab ihm Milch und legte die Zaine mit warmen Wollenlappen aus. Der Hund schlief ein, und der Alte blieb in der Nähe auf dem Stuhl sitzen. Er hörte das Atmen des Hundes, er sah einen großen Kopf in dem Dunkel, er roch seine Wildheit und seinen stumpfen Schweiß. Da erinnerte sich der Mann jener Nacht, da er jenem andern, schweren Atmen zugehört hatte, dem Atmen seines kranken Kindes. Das lag in seiner kalten Kammer im Bette, war vom Fieber geschüttelt, schlug mit den Zähnen zusammen und suchte mit den kleinen Händchen auf dem Kissen nach irgend etwas, als ob es auf der weißen Wiese des Krankenbettes Blumen mit sehr kurzen Stengeln pflücken wollte. Er war mit seinem Kinde allein, der Arzt hatte ihn verlassen, alles, die ganze Welt, der Himmel, Gott, alle hatten ihn verlassen. Und am Morgen verließ ihn auch das Kind. Es schlug auf einmal die Augen auf, blieb mit einem Blick, den der Herrgott nur einmal erschaffen hat, an seinem Vater hangen, versuchte aus der unendlichen Tiefe des Fiebers ein Lächeln heraufzuholen, was ihm aber nicht mehr gelang, und dann öffnete es die Lippen, die dünnen, ausgemergelten, und wollte etwas sagen. Aber der Tod hatte ihm bereits die kleine Seele weggenommen, und so blieb der Blick erstorben und die Lippen erstarrt, und der Alte spürte, daß sein Kind nie mehr wiederkommen würde. Ich will die Beerdigung mit dem Pfarrer, den drei Hausbewohnern und einem ganz entfernten, immer auf die Uhr schauenden Verwandten nicht schildern, auch die nächsten Nächte des Vaters nicht, der im Zimmer auf- und abschritt, die Spielsachen des toten Kindes ins Dunkel des Kastens stellte, plötzlich seinen Kopf in jenes Kissen fallen ließ, aus dem noch der bittere Totenschweiß des Kindes roch.

Ich will weiterfahren und nicht dabei verweilen, den Schmerz, die Schwermut und die Verlassenheit des alten Vaters zu schildern, denn jeder Schmerz gehört nur dem, der ihn erleidet, und sobald man Schmerz erzählt, wird er literarisch, und die Leser meinen, es handle sich um den Schmerz gemeinhin, sowie jener Student auch gemeint hat, der Alte liebe die Kreatur gemeinhin und nicht einen ganz bestimmten Hund.

Der Alte hielt seine Verlassenheit schließlich nicht mehr aus. Er suchte nach einem Gefährten, mit dem er reden, ja, mit dem er sich vielleicht über sein Kind unterhalten konnte. Und eines Tages lief ihm der Hund zu, struppig und wie mit tausend Peitschen geschlagen. Er nahm ihn auf, nicht nur in die Kammer, sondern in sein Herz, ja, man wird den Kopf schütteln, auch in sein ganzes Wesen. Er dachte an seinen Hund, sobald er in der Stadt alle die Öfen geheizt hatte. Er freute sich auf seinen Hund, so wie sich ein Student auf ein neuerschienenes Werk, eine Dame auf ihr Reitpferd, der Händler auf eine große Bestellung freut.

Nein, alle diese Vergleiche sind falsch: Er flüchtete zu seinem Hund, er hatte ein tiefes Heimweh nach ihm, es war sein letztes Ziel. Er griff in den Schmutz von Kehrichteimern hinein, wenn er einen Knochen entdeckte, und wenn ihn jemand dabei ertappte, da ertrug er die Scham lächelnd, und er ging mit dem Knochen rascher seinem Hause zu.

Einmal nahm er am Gottesdienst der Sekte teil, deren Saal er geheizt hatte. Die Leute hatten den Kopf geneigt, der Vorbeter sprach sein Gebet, das Harmonium spielte. Es wurde feierlich, und der Alte hatte ein Gefühl von Heimweh, Glück und Schwermut. Mitten in diesem schönen Gefühl fiel ihm sein Hund ein, der jetzt allein zu Hause unter dem Tisch saß. Ein grenzenloses Mitleid stieg ihm gegen die Gurgel. Mitten im Gesang verließ er heimlich und still das Lokal und eilte nach Hause. Einfachen Menschen kann so etwas begegnen, aber sie haben das Pech, daß kein Poet in ihrer Nähe steht, der die Tiefe dieses Gefühls ermessen könnte. Und die andern, die Zeugen solcher Szenen sind, finden das ganz einfach komisch.

Es war an einem Novemberabend, als der Alte vor seinem Hause einen Menschenhaufen erblickte. »Ah, da kommt er«, rief ein junger Mann und führte den Alten zu seinem Hund, der auf dem Straßenpflaster lag, den Kopf vor sich auf den ausgestreckten Pfoten, die Augen klein und unregelmäßig geschlossen; unter dem Fell rann ein kleines Bluthaar hervor, dünn und bereits kallig geworden. »Es tut mir leid«, sagte ein gutgekleideter Herr, »aber der Hund ist mir in die Droschke hineingesprungen.« Der Alte hörte nichts mehr, er stand klein und unbeholfen vor seinem Hund, zupfte am Kragen, und aus seiner Brust stieg ein dumpfer Laut, fast wie Knurren oder heiseres Räuspern.

Nachts dachte er darüber nach, wie er seinen Hund bestatten könne. Es gab keine andere Art als das Verscharren, das gemeine, hinterhältige, unfeierliche, schäbige Verscharren. Der Alte schüttelte fortwährend seinen Kopf, und am frühen Morgen legte er die Leiche in einen großen Korb, den er in das Lokal der Lenoniten trug, wo es noch dunkel war und nach den nassen Kleidern und Galoschen des Vorabends roch. Er nahm den Hund aus dem Korb – wie schwer war er geworden – und legte ihn auf den Teppich hinter dem Katheder, und dann ging er zum Harmonium, hob den Deckel über der Tastatur und drückte zwei Töne miteinander. Sie waren wohlklingend, und er wiederholte sie immer wieder, langsam, gedehnt und so, bis er eine Feierlichkeit aus den Tönen steigen fühlte.

Dann schloß er das Harmonium wieder, legte den Hundekörper wieder in den Korb hinein und trug ihn vor die Stadt hinaus, wo Birken eine kleine Allmend umstanden, dünn und karg. Da grub er ein Loch, rund und säuberlich, und stellte den Korb mit dem Hund hinein. Er deckte das Ganze wieder zu und legte einige Blumen auf den verscharrten Boden. Dann ging er heim.

Und es wurde Dezember. Die Schneeflocken schwebten zärtlich herab, als ob sie Angst hätten, der Erde weh zu tun. Der Alte suchte auf der Allmend zwischen den Birken das Grab seines Hundes, er scharrte den Schnee mit den Füßen weg, aber er fand die Stelle nicht mehr. Es war schon dunkel, und es sah aus, als ob ein Meer von Nebel die Erde mit einer zweiten Sintflut ertränken wollte. Da stand plötzlich eine Frau neben ihm, die er nicht anzusehen wagte, denn er wußte, daß es ein Engel war, und kein einfältiger Mensch wagt einen Engel anzuschauen. Sie sagte: »Laß deinen Hund schlafen, da du aber einsam bist und nach einem Freund suchst, komm mit mir in den Stall.«

Er ging mit, und die Frau führte ihn in einen Stall, in

dem ein weißes Pferd stand. Es hatte den Kopf gesenkt und war wie von Sorgen beladen. Als die Frau etwas aufhob, was wie eine Kerze oder wie eine Lichtschale aussah, wendete das Pferd seinen Kopf, und der Alte sah zwei Tieraugen, in denen alle Schwermut der Erde zusammenfloß.

In diesem Augenblick war es dem Alten, als ob er nicht mehr allein wäre. Er wäre gerne neben dem Pferd ins Stroh gesessen und hätte gerne den Abend hier verbracht, von dem er plötzlich wußte, daß es der Heilige Abend war. Aber die Frau führte ihn wieder aus dem Stalle heraus und hieß ihn mit ihr in die Stadt gehen. Dort hatten sie, da es spät war, bereits die letzten Bäumchen an die Mauer des Kaufhauses gelehnt. Hinter der Orgel der leeren Kirche saß der alte verlassene Organist, dessen Hände langsam über die braunen Tasten hinzitterten.

Überall hatten die Menschen die Gardinen geschlossen, hinter denen man den zarten Schein von Christbäumen sah, nur ein Fenster war noch hell erleuchtet, das Fenster des Spielwarenladens. Die Frau sagte zu dem Alten, dem der Wind den Hut vom Kopfe geblasen hatte: »Sieh hier diese Stofftiere! Viele haben heute in dieses Schaufenster hineingeblickt, aber keiner hat die Tiere so verstanden wie du.« Und richtig, der Alte sah die Stofftiere, diese Katzen, Eselein und Hunde, eines nach dem andern an, und es war ihm, als ob unter der Stoffhaut dieser Tiere ein geheimes Blut pulste. Er suchte nach einem Hund, der seinem toten Hündlein gliche. Aber es war keines da, und der Alte wußte es auf einmal, daß kein Toter ersetzt werden kann. Was lebt, lebt nur einmal, und was stirbt, stirbt nur einmal. Einmal glaubte der Alte in einem Tier seinen Hund zu erkennen, aber die Augen waren anders, es fehlte ihnen der Glanz des Zutrauens und der stille Schein der Scheu und vielleicht auch der Angst. Da die Türe zu dem Laden offen stand, ging er hinein. Die Regale waren fast ausverkauft, nur auf einigen Tischen und in ein paar wackeligen Kästen lagen noch ein paar Windrädchen, Puppen und Stofftiere, schief hingelegt, von weihnachtseiligen Angestellten liegen gelassen. Der Alte stand besonders lange vor dem Tisch mit den Stoffhündchen. Eines glich seinem toten Hund, und drum strich er nun mit seinen alten, großen Händen darüber hin, aber es war bloß Filz, und die Augen bestanden aus gläsernen Kügelchen. Es geschah, daß der Alte das Stoffhündchen in die Hand nahm, es vor seinen Mund hielt und ihm seinen Atem einblies, so wie Gott der Herr einmal der Kreatur den Atem eingeblasen hatte. Der Atem machte den Filz ein klein wenig warm, und die Augen des Stoffhündchens liefen an, aber lebend wurde es nicht. Der Alte sah, wie die Frau lächelnd zu ihm über den Tisch hinübersah, und er sagte: »Ich bin so allein.«

»Streichle noch einmal diese Spielsachen«, sagte die freundliche Frau.

Er streichelte der Reihe nach die Hündchen, das Eselein, die Katze, das Windrädchen und die Eisenbahn, und kaum war seine Hand darüber hinweggestrichen, begannen die Tiere sich zu regen und das Schwänzchen zu ringeln. Das Windrädchen drehte sich wie in einem geheimen Winde, und die Eisenbahn begann leise mit feinem Räuchlein zu fahren. Die Farben der Filze fingen an zu leuchten, die Glasaugen zu funkeln, die Rädchen zu blitzen, kurz und gut, je kleiner die Sachen waren, desto schöner und leuchtender wurden sie. Da ging eine andere Türe auf, und herein kam das Kind des Alten, und an einem Seilchen lief hinter ihm drein der Hund. Das Kind trug noch das Totenhemdchen, und der Hund war dort ein wenig struppig, wo der Wagen über seinen Leib hinweggefahren war.

Draußen begannen die Glocken zu läuten, und man hörte auch das Orgelspiel des einsamen Organisten, und zur gleichen Zeit verließ das weiße Pferd seinen Stall, um, von den Glocken und Orgeln gerufen, nach dem Städtchen zu traben.

Budd Schulberg
Mein Weihnachtsmärchen

Als ich ein kleiner Junge war, wohnten wir in einem damals kaum bekannten Vorort von Los Angeles mit Namen Hollywood. Mein Vater war Produktionschef bei »Firmament-Famous Artists-Lewin«, genauer gesagt: *General Manager in charge of production.* Das ist ein ziemlicher Bandwurm, aber ich brauchte ihn für die Mein-Vater-ist-mehr-als-dein-Vater-Diskussionen, die ich mit einem Jungen aus der Nachbarschaft hatte, dessen alter Herr bloß Produzent bei Warner Brothers war.

Zu den Dingen, die mir von Firmament-Famous Artists-Lewin am deutlichsten im Gedächtnis haftengeblieben sind, gehört der Umstand, daß für mich Studio und Weihnachten untrennbar miteinander verbunden waren. Meine früheste Erinnerung an die Weihnachtszeit hängt mit einem großen Lastwagen des Studios zusammen, der das Firmenzeichen der Gesellschaft trug und an jedem Heiligabend kurz vor dem Essen angefahren kam. Ich stand mit meiner kleinen Schwester vor der Küchentür und sah zu, wie der Fahrer und sein Gehilfe ganze Berge von wunderbaren roten und grünen Paketen ins Haus trugen – alle für uns. Manchmal brach die glänzende Lenkstange eines Dreirads oder das Rad einer Miniaturfeuerwehr durch die leuchtende Verpackung, und dann schrie ich: »Ich weiß, was das ist!« Bis meine Mutter mich fortbrachte. Santa Claus müsse noch in so viele Häuser, sagte sie, daß ich diesen beiden Helfern von ihm nicht im Wege stehen dürfe. Ich ging dann die Straße hinab, um mit dem Jungen von Warner Brothers die jeweiligen Verdienste unserer beiden Studios zu erörtern, oder ich brachte die Zeit damit hin, meine kleine Schwester zu quälen – vollkommen zufrieden bei dem Gedanken, daß der Firmament-Famous-Artists-Lewin-Lastwagen in einem halbtropischen Klima wie dem von Südkalifornien das übliche Transportmittel von Santa Claus sei, der ja am Nordpol wohnte.

Ich hatte die leidige Angewohnheit, am Weihnachtsmorgen um fünf Uhr wach zu werden. Entgegen der alljährlichen Bitte meiner Mutter, doch leise aufzustehen, rannte ich über den Flur zum Zimmer meiner Schwester und schrie: »Fröhliche Weihnachten, Sandra! Komm, wir wecken Mammy und Daddy und packen unsere Geschenke aus.«

Wir liefen zum Elternschlafzimmer mit seinem Doppelbett unter einem Baldachin. »Fröhliche Weihnachten!« riefen wir zusammen. Mein Vater stöhnte, drehte sich auf die andere Seite und zog sich die Decke über den Kopf. Er kämpfte mit den Nachwirkungen der alljährlichen Weihnachtsparty im Studio, von der er erst heimgekommen war, als wir schon schliefen. Ich stieg ins Bett und kletterte auf ihn drauf und hüpfte auf und nieder und rief: »Fröhliche Weihnachten! Fröhliche Weihnachten ...«

»Ohhhh ...« machte Vater und drehte sich auf den Bauch. Mutter rüttelte ihn sanft an der Schulter. »Sol, ich weck' dich nicht gern, aber die Kinder gehen ohne dich nicht nach unten.«

Vater richtete sich langsam auf und stöhnte und ächzte. »Ist ja noch dunkel draußen«, sagte er. »Und wer hat mir denn meinen Morgenmantel weggenommen?« Mutter hob ihn auf, wo er ihn hingeworfen hatte, und brachte ihn. Er war aus schwarzer und weißer Seide mit vornehm gesticktem Monogramm.

»Die Kinder packen doch den ganzen Tag Geschenke aus«, sagte mein Vater. »Ich find's verdammt albern, daß man schon früh um fünf damit anfangen muß.«

Unten gab's genügend Spielzeug, um die Schaufenster eines ganzen Ladens auszustaffieren. Der rote Wagen war das originalgetreue Modell eines richtigen Pierce-Arrow und vermutlich nur geringfügig billiger; er hatte einen grünen Ledersitz, auf den ich mit Sandra paßte, und richtige Scheinwerfer, die man an- und abstellen konnte. Dann war da eine elektrische Eisenbahn, die durch ein genau nachgemachtes bayerisches Dorf *en miniature* fuhr. Und ein großer Roller mit Gummirädern und einer Gangschaltung, wie bei unserem Cadillac. Und ein paar Dutzend anderer Dinge, die ich vergessen habe. Sandra hatte eine Puppe, eine lebensgroße Nachahmung von Baby Peggy – übrigens die Margaret O'Brien der frühen zwanziger Jahre – ein importiertes ungarisches Bauernkostüm von Lord & Taylor, eine Sechs-Unzen-Flasche französischen Toilettenwassers und so viele andere Sachen, daß wir alle beim Auspacken helfen mußten.

Und wenn wir so ziemlich fertig waren, kamen die ersten Leute mit weiteren Geschenken an. Jedes Jahr zu Weihnachten war es das gleiche, soweit ich zurückdenken kann: Den ganzen Tag über kamen Männer und Frauen in Festtagskleidung und brachten Pakete mit den herrlichsten Dingen, die wir vor ihren Augen auspacken mußten. Sie saßen eine Weile umher, lachten mit Mutter und Vater und tranken kalte gelbe Sachen, die James, der Butler, auf einem Tablett herumreichte und die ich nicht kosten durfte. Dann hoben sie uns hoch und küßten uns und sagten, wir wären so hübsch wie meine Mutter oder so intelligent wie mein Vater, und dann gab's wieder Gelache und Umarmungen und Händeschütteln und Gott segne euch, und dann waren sie weg, und andere kamen.

Manchmal müssen zehn oder zwanzig gleichzeitig dagewesen sein, und Sandra und mir tat's auf eine Weise leid, weil Mutter und Vater mit ihren Gästen so viel zu tun hatten, daß sie nicht mit uns spielen konnten. Aber es war hübsch, all die Geschenke zu bekommen.

Ich erinnere mich noch an einen großen dunklen Mann mit einem kleinen spitzen Schnurrbart, der Mutter die Hand küßte, als er reinkam. Sein Geschenk war in wunderschönes silbriges Papier eingepackt, und die blaue Schleife drum herum faßte sich dick und weich an, wie eins von Mutters Abendkleidern. Innen war dünnes weißes Seidenpapier, und darin war eine hübsche silberne Kamm-und-Bürsten-Garnitur, wie mein Vater sie hatte. Eine kleine Karte hing daran, die ich lesen konnte, weil sie mit der Maschine geschrieben war, und ich konnte fast alles lesen, was nicht handgeschrieben war: »Fröhliche Weihnachten meinem zukünftigen Chef von Onkel Norman.«

»Mammy«, sagte ich, »ist Onkel Norman mein Onkel? Du hast mir nie erzählt, daß ich einen Onkel Norman habe. Ich hab' einen Onkel Dave und einen Onkel Joe und einen Onkel Sam, aber ich hab' nicht gewußt, daß ich einen Onkel Norman habe.«

Ich weiß heute noch, wie weiß und gleichmäßig Onkel Normans Zähne waren, als er mich anlächelte. »Ich bin ein neuer Onkel«, sagte er. »Weißt du nicht mehr, wie dein Daddy dich zu den Aufnahmen mitgebracht hat und wie ich mich in dein Autogrammbuch eingetragen und dir gesagt habe, du sollst mich Onkel Norman nennen?«

Argwöhnisch kämmte ich mich mit seinem silbernen Kamm. »Sind der Kamm und die Bürste von dir – Onkel Norman?«

Norman trank den Rest des schaumigen Zeugs und wischte sich mit dem blaßblauen Taschentuch aus seiner

Brusttasche sorgfältig den Schnurrbart ab. »Das sind sie, Sonny«, sagte er.

Vorwurfsvoll wandte ich mich an meine Mutter. »Aber du hast doch gesagt, Santa Claus bringt all die Geschenke.«

Dies fand zu einer Zeit statt, wie ich später erfuhr, da meine Beziehung zu Santa Claus problematisch geworden war – der Kinderglaube begann, unter dem Druck der Verdachtsmomente zu bröckeln. Mutter versuchte, uns Santa Claus so lange wie möglich zu erhalten, damit Weihnachten für uns mehr bedeuten sollte als eine bloße schmeichlerische Geschenkschaustellung von Vaters Stars, Regisseuren, Drehbuchautoren und Geschäftemachern.

»Norman hat seinen Namen auf deinen Kamm und deine Bürste geschrieben, weil er ein Gehilfe von Santa Claus ist«, sagte meine Mutter. »Santa hat so viel zu tun, wenn er alle guten Kinder auf der Welt bescheren will, daß er viele, viele Helfer braucht.«

Mein Vater bot »Onkel« Norman eine seiner langen, dicken Zigarren an und biß von seiner eigenen die Spitze ab.

»Daddy, stimmt das, was Mammy sagt?« fragte ich.

»Deiner Mutter mußt du immer glauben«, sagte mein Vater.

»Ich hab' schon siebenundzwanzig Geschenke«, sagte Sandra.

»Du meinst einunddreißig«, sagte ich. »Ich habe zweiunddreißig.«

Sandra öffnete ein Kästchen, in dem ein wundervoller kleiner goldener Ring mit einem Amethyst lag, ihrem Monatsstein.

Ich nahm die Karte und las vor: »Fröhliche Weihnachten, Sandra Darling, von Deiner größten Bewunderin, Tante Ruth.«

Ruth war die hübsche Dame, die mit Onkel Norman zusammen in einem von Vaters letzten Filmen spielte. Ich hatte ihn nicht sehen dürfen, aber dem Warner-Brothers-Jungen gegenüber gab ich immer damit an, daß Warners niemals einen so guten Film zustande brächten.

Sandra warf Tante Ruths goldenen Ring weg (sie war noch sehr jung) und drehte langsam das kleine Kästchen um, in dem er gelegen hatte.

»Guck mal«, sagte sie. »Da sind Zahlen drauf. Wofür sollen die Zahlen sein, Chris?«

Ich studierte sie sorgfältig. »Fünfundneunzig. Sieht aus wie Dollar«, sagte ich. »Fünfundneunzig Dollar. – Wo kriegt Santa Claus bloß all das viele Geld her, Daddy?«

Mein Vater warf meiner Mutter einen fragenden Blick zu. »Ehem... Was hast du gesagt, Junge?« Ich mußte die Frage wiederholen, »Oh... Das sind keine Dollar, nein... Das ist bloß die Nummer, die Santa Claus auf alle Geschenke schreibt, damit sie nicht durcheinandergeraten, wenn er sie vom Nordpol herunterschickt«, sagte mein Vater und holte tief Luft und trank einen großen Schluck von dem gelben Zeug.

Den ganzen Nachmittag kamen noch mehr Leute. Mehr Onkel und Tanten. Mehr Gehilfen von Santa Claus. Mir war noch nie aufgefallen, daß er so viele Helfer hatte. Und den ganzen Nachmittag ging das Telefon. »Sol, geh mal hin, es wird für dich sein«, sagte meine Mutter, und dann hörte ich meinen Vater am Apparat lachen. »Danke, L. B., fröhliche Weihnachten... Danke, Joe... Danke, Mary... Danke, Doug... Fröhliche Weihnachten, Pola...« Bis zum Abend kamen immer weiter Geschenke an, manchmal mit hochherrschaftlichen Autos, deren Chauffeure in schmucken Uniformen die Pakete hereinbrachten. Wie mein Vater es auch erklären mochte – mir schien, als müßte Santa so reich sein wie Mr. Zukor.

Kurz vor dem Abendessen fuhr einer der größten Stars aus Vaters Filmen in einem Rolls-Royce Roadster vor. Ich hatte noch nie so ein Auto gesehen. Sie kam mit einem großen, breitschultrigen, sonnengebräunten Mann herein, der stets und ständig über alles und jedes lachte. Sie war eine sehr kleine Dame, und ihre Haare trug sie wie ein Junge glatt am Kopf. Sie hatte ein enges gelbes Kleid an, das ihr nur bis zu den Knien reichte. Sie und der Mann hatten drei Geschenke für mich und vier für Sandra. Sie guckte auf mich runter und sagte: »Fröhliche Weihnachten, mein kleiner Liebling.« Und eh' ich ausreißen konnte, hatte sie mich hochgehoben und küßte mich ab. Sie roch ganz komisch, so parfümiert süß, und dazu so, wie Vater roch, wenn er von der Weihnachtsfeier im Studio nach Haus kam und sich über mein Bett beugte und mir einen Kuß gab, wo ich doch schon halb schlief.

Ich mochte nicht geküßt werden; von Fremden erst recht nicht. »Laß mich los«, sagte ich.

»Das macht man aber doch nicht, Sonny«, sagte der fremde Mann. »Jeder Mann in Amerika würde sonst was drum geben, wenn er jetzt an deiner Stelle sein könnte.«

Die Erwachsenen lachten alle, aber ich hatte keine Lust und wollte los. »Aber! Sei doch nicht so, Honey«, sagte die Diva.

»Ich *liebe* Männer!«

Wieder lachten sie alle. Ich verstand's nicht und fing an zu weinen. Da stellte sie mich hin. »Na schön«, sagte sie. »Kann man nichts machen, wenn du nicht mein Freund sein willst.«

Als sie weg war, packte ich ihre Geschenke aus und fragte meinen Vater: »Wer war das? Ist die auch ein Gehilfe von Santa Claus?«

Vater blinzelte Mutter zu, drehte sich um und hielt sich die Hand vor den Mund. Ich sah aber trotzdem, daß er lachte. Mutter schaute ihn an, so wie sie mich anblickte, wenn sie mich kurz vor dem Essen mit Süßigkeiten erwischte. »Sie heißt Clara, mein Liebes«, sagte sie. »Und sie ist auch ein Gehilfe von Santa Claus.«

Und so war's Weihnachten immer. Bis auf ein Weihnachten, als was Komisches passierte. Der große Firmament-Famous-Artists-Lewin-Lastwagen ließ sich nicht blicken. Den ganzen Nachmittag hielt ich nach ihm Ausschau, aber er kam nicht. Als es dunkel wurde und Zeit zum Essen und Zubettgehen und immer noch kein Lastwagen, da kriegte ich's mit der Angst. In Gedanken ging ich das ganze letzte Jahr durch und überlegte, was ich Schlimmes getan haben könnte, für das Santa Claus mich jetzt bestrafte. Ich hatte haufenweise böse Streiche angestellt, meine Schwester geschlagen und meines Vaters Füllfederhalter zerbrochen, aber sie waren alle nicht schlimmer als die Dinge, die ich im Jahr zuvor verbrochen hatte. Und doch: Was konnte denn sonst der Grund dafür sein, daß der Wagen nicht kam?

Noch etwas anderes war an diesem Heiligabend komisch – mein Vater ging nicht zu seiner Studio-Weihnachts-Party. Er blieb den ganzen Tag zu Hause und las mir aus einem Geschenkbuch vor, das ich einen Tag früher hatte auspacken dürfen, aus einem großen blauen Buch mit dem Titel ›Typee‹. Und als ich spätabends die Treppe halb hinunterschlich, auf Zehenspitzen, und zusah, wie meine Mutter den Baum schmückte, was angeblich Santa tat, da entdeckte ich, wie mein Vater ihr beim Anbringen der bunten Lichter half. Und noch etwas war dieses Jahr anders: Als ich früh um fünf mit Sandra schreiend und lachend ankam wie immer, da stand mein Vater gleichzeitig mit meiner Mutter auf.

Als wir nach unten gingen, fanden wir fast so viele Geschenke vor wie sonst auch. Von Onkel Norman war ein schönes Feuerwehrauto da, von Tante Ruth ein Cowboy-Anzug, von Onkel Adolph ein Stabilbaukasten, von allen Helfern von Santa Claus irgend etwas. Nein, an den Geschenken lag's nicht, daß Weihnachten diesmal anders zu sein schien. Es lag daran, daß alles so ruhig war. Den ganzen Tag über kam kein einziger Pierce-Arrow und Packard und Cadillac mit neuen Geschenken für uns. Und auch die Leute kamen nicht, Norman und Ruth und Onkel Edgar, der berühmte Regisseur, und Tante Betty, die kommende Naive, und Onkel Dick, der junge Star, und der Drehbuchautor Onkel Bill – kein einziger kam. Auch James, der Butler, war nicht mehr da. Es war das erste Weihnachtsfest, seit ich denken konnte, an dem wir Vater ganz für uns hatten. Sogar das Telefon blieb zur Abwechslung mal stumm. Von ein paar richtigen Verwandten abgesehen, ließ sich nur eine von früher blicken: Clara. Sie kam zur Abendessenszeit mit einem alten Mann, dessen Haare an den Schläfen gelb waren und oben auf dem Kopf grau. Ihr Gesicht war ganz rot, und als sie mich hochhob, um mir einen Kuß zu geben, roch sie wie Weihnachten vor einem Jahr, nur stärker. Mein Vater schenkte ihr und ihrem Freund dieses schaumige gelbe Getränk ein, das ich nicht kosten durfte.

Sie hob ihr Glas und sagte: »Fröhliche Weihnachten, Sol. Und möge das nächste Weihnachten noch fröhlicher sein.«

Meines Vaters Stimme klang ein bißchen komisch; ohne Lachen, wie sonst. »Danke, Clara«, sagte er. »Du bist 'n treuer Kerl.«

»Quatsch«, sagte Clara. »Bloß, weil ich nicht so 'n Gut-Wetter-Freund bin wie 'n paar andere von diesem Hollywood-Schwei...«

»Schsch, die Kinder«, sagte meine Mutter.

»Teufel. Tut mir leid«, sagte Clara. »Na, ihr wißt schon, was ich meine.«

Meine Mutter blickte von uns zu Clara und wieder zu uns. »Chris, Sandra«, sagte sie. »Warum geht ihr nicht mit euern Spielsachen rauf und spielt in euerm Zimmer? Wir kommen später nach.«

Ich mußte dreimal gehen, bis ich alle wichtigen Geschenke in meinem Zimmer hatte. Ich nahm auch einen Karton mit Karten mit, die an den Geschenken angebunden gewesen waren. Miß Whitehead, unsere Schreiblehrerin, hatte uns über die Ferien eine kleine Hausaufgabe gestellt: Wir sollten alle Weihnachtskarten-Unterschriften aufteilen in solche von Spencerscher Grazie und solche von gekrakelter Unleserlichkeit. Ich spielte eine Weile mit meinem Stabilbaukasten, ich übte mich im Lassowerfen, und Sandra mußte Indianer sein; ich fing sie ein und fesselte sie ans Bett, so, wie's mein Held Art Acord im Kino tat. Ich fing Sandra drei- oder viermal, und dann wußte ich nicht mehr, was ich anstellen sollte, und so breitete ich alle Weihnachtskarten auf dem Boden aus und sortierte sie, wie Miß Whitehead uns das aufgetragen hatte.

Ich sortierte ein halbes Dutzend. Alle waren deutlich un-spencerisch. Aber erst, als ich zehn oder zwölf sortiert hatte, fiel mir etwas Merkwürdiges auf. Alle zeigten die gleiche Handschrift. Und dann stieß ich auf eine Karte von meinem Vater. Ich fing grad erst an, Handschriften lesen zu lernen, und ich hatte noch nicht viel Ahnung, aber ich konnte die drei kleinen zusammengebündelten Buchstaben erkennen, die *Dad* ergaben. Ich hielt mir meines Vaters Kärtchen dicht vor die Augen und verglich es mit dem von Onkel Norman. Es war die gleiche Handschrift. Dann verglich ich die beiden Karten mit der von

Onkel Adolph. Alles dieselbe Handschrift. Dann nahm ich eine von Sandras Karten, die von Tante Ruth, und verglich sie mit der von meinem Vater. Ich verstand's nicht. Mein Vater schien sie allesamt geschrieben zu haben.

Sandra sagte ich nichts davon; auch dem Mädchen nicht, als es mit unserem Abendessen kam und uns zu Bett brachte. Aber als meine Mutter kam, um mir einen Gutenachtkuß zu geben, da fragte ich sie, wieso auf allen Karten Vaters Handschrift war. Mutter machte das Licht an und setzte sich auf die Bettkante.

»Glaubst du noch richtig an Santa Claus? Nein, nicht?« sagte sie.

»Nein«, sagte ich. »Fred und Clyde haben mir in der Schule alles erzählt.«

»Dann wird's dir wohl auch nicht weh tun, den Rest zu erfahren«, sagte meine Mutter. »Früher oder später mußt du diese Dinge wissen.«

Dann erzählte sie mir, was geschehen war. Zwischen dem letzten und diesem Weihnachten hatte mein Vater seine Stelle verloren. Jetzt versuchte er, seine eigene Gesellschaft zu gründen. Haufenweise Stars und Regisseure hatten versprochen, mitzugehen und bei ihm zu bleiben. Als es aber ernst wurde, waren sie umgefallen. Obwohl ich's damals nicht ganz verstand, auch nicht in der vereinfachten Art, auf die es meine Mutter zu erklären versuchte, so würde ich heute sagen, daß den meisten dieser Leute die Sicherheit einer Beschäftigung bei einer großen Gesellschaft wichtiger war als ein Abenteuer in der »Armengasse«, wie die Gruppe der kleinen Studios genannt wurde, wo die unabhängigen Produzenten um ihre Existenz kämpften.

Es war also ein mageres Jahr für meinen Vater gewesen. Wir hatten eines der Autos verkauft, dem Butler gekündigt und nach einem Budget gelebt. Als Weihnachten näherrückte, hatte Mutter unsere Geschenke auf ein Minimum reduziert.

»Die Kinder sollen auf keinen Fall zu kurz kommen«, sagte mein Vater. »Dafür wird die alte Meute sorgen.«

Heiligabend hatte mein Vater nachmittags eine geschäftliche Verabredung mit einem Bankier gehabt, wegen besserer Finanzierung seiner Filmvorhaben. Als er nach Hause kam, waren Sandra und ich gerade zu Bett gegangen, und Mutter ordnete die Geschenke unter dem Weihnachtsbaum. Viele Geschenke waren nicht anzuordnen, nur ein paar, die sie selber gekauft hatte. Von meinen sogenannten Tanten und Onkels waren überhaupt keine Geschenke da.

»Meine Freunde«, sagte Vater. »Meine Bewunderer. Meine treuen Angestellten.«

Obgleich er einsichtig genug war und ganz genau wußte, weshalb uns diese Leute immer all die kostspieligen Geschenke geschickt und gebracht hatten, war er von seiner Eitelkeit – oder soll ich's Harmlosigkeit nennen? – zu dem Glauben verführt worden, daß sie es nur deshalb taten, weil sie ihn schätzten und Sandra und mich aufrichtig gern hatten.

»Ich fürchte, die Kinder werden sich Gedanken darüber machen, was mit all den Santa-Claus-Gehilfen los ist«, sagte meine Mutter.

»Eine Sekunde«, sagte mein Vater. »Ich hab' da eine Idee. Diese Schweinehunde werden weiterhin Santa Clausens Helfer spielen, ob sie's wollen oder nicht.«

Dann war er zu einer Spielwarenhandlung am Hollywood Boulevard gefahren und hatte auf den Namen aller so verdächtig abwesenden Onkel und Tanten Geschenke gekauft.

Ich weiß noch, wie ich heulte, als meine Mutter mir das erklärt hatte. Ich kann nicht sagen, ob es aus verspäteter

Dankbarkeit meinem alten Herrn gegenüber geschah oder ob ich mir selber leid tat, weil all diese berühmten Leute mir gar nicht so zugetan waren, wie ich gedacht hatte. Vielleicht weinte ich auch nur, weil der erste Abschnitt der Kindheit vorüber war, dieser lächerliche und zugleich wunderbare Teil des Lebens. Von jetzt an würde ich mich damit abfinden müssen, daß es keinen Santa Claus gab und nur ganz, ganz wenige wahrhaftige Santa-Claus-Gehilfen.

REINHOLD SCHNEIDER

Der Strand ohne Heimweh

ie der Sturm der Dezembernacht über die zersplitterte Zeder hinter dem Hause zieht, so wird er sich an die portugiesische Küste werfen. Ich denke an die langen Nächte zurück, da die Schiffe einander suchten mit ihren Signalen und die Felsen von den anbrechenden Wogen dröhnten, als sei eine gewaltige Schlacht im Gange. Um Mitternacht krähte der Hahn zum erstenmal, und ich dachte daran, wie ferne das Licht noch war. Aber oft wurde es stiller gegen den Morgen: Der Nebel durfte sein Gespinst wieder weben über das Meer hin, der Austernverkäufer sang auf der Straße und weckte das verhaltene Leben der kleinen Fischerstadt. Doch die Boote blieben, vorm Meere geborgen, im Sande liegen, und so dicht war der Nebel, daß die Lichter fortschimmerten in den niedern Kaufgewölben, wo die Katzen schliefen zwischen den geflochtenen Körben, den hohen dunklen Säcken, unter den niederhängenden bunten Mützen und Netzen. Truthühner flohen über die Straße, gespenstisch-eilig unter der Bambusgerte eines Bauern; die Feuerchen, an denen die Kinder Fische brieten oder Kastanien rösteten, glühten an den Straßenecken, zwischen den niedern, weißen Häusern, und die Ochsenwagen bewegten sich langsam die krummen Pfade hinauf; es war, als würden sie von schlafenden Tieren gezogen, von einem Schlafenden gelenkt. Wenn der Nebel zerriß, erschienen die scharfen Spitzen, die kahlen Hänge des Gebirges von Cintra einmal über den Dächern, oder zwischen den ruhig atmenden Palmen dämmerte das verlassene Meer. Schmerzlos sank der Tag in den Abend, die Nacht. Die Kinder bestaunten lange die armen Wunderdinge hinter den Scheiben, im roten Lichte der Lämpchen; eine Glocke wagte zu rufen; in der Schenke, neben dem von einer Palme durchwachsenen Hause saßen noch ein paar bärtige Männer beim dunklen Wein. Und wieder begann der Sturm, kämpfte sich die Nacht dem Hahnenruf entgegen, der wie ein Trost auf der Mitte des Weges an der schwersten Stelle war.

Und die Gesichte flohen vorüber, die sich an der Tejomündung drängen, der großen, unwiderstehlichen Straße ins Nirgendwo. Hier fuhren die Entdecker auf leichten Schiffen aus. Welche Gewalt, wenn der Strom das Machtgebiet des Ozeans erreichte und dessen erster freier Atemzug die Schiffe hob und an sich riß! Aber welche Gewalt des Traumes vom Schimmer unbetretener Küsten, goldenen Tempeln, Palästen, dem Ruhm der Herrschaft hinter dem Grauen des Meeres! Und dann tat das Meer sich auf, furchtbarer und herrlicher als es die Verwegenen geahnt, und der Sturm spielte mit dem Segler, der wie ein Raubfisch nach Schätzen hungerte, oder die Stille ließ den Räuber hinschmachten in unbarmherziger, sonnendurchglühter Weite; das Kap stellte sich ihm entgegen und endete die Fahrt. Oder die Heimwehkranken kamen zurück und sprangen mit einem frommen Liede ans Land; ängstlich überwachte der eine die dunklen Sklaven, die seine Schätze schleppten; aber das Fieber glühte in seinem Blick. Und wer könnte von den Nächten erzählen, die er fortan verwachte mit den Bildern seiner Schuld! Enttäuscht kamen die andern: die Ferne war leerer Traum geworden, wirklich blieb nur die Heimat, das ärmste Leben beim Klang der vertrauten Glocke, das Grab in geliebter Erde ... Ein König kam, gewann das Land – und seine

Enkel verloren es wieder. Die Hauptstadt breitete sich ihre stolzen Hügel hinauf; neue feierliche Türme grüßten das Meer, während draußen die Windmühlen sich drehten, unaufhaltsam, wie die ablaufende Zeit. Das Meer empörte sich gegen die Stadt und schleuderte seine Wogen in die Straßen hinauf. Und noch einmal erstand die Stadt in Herrlichkeit. Doch das Reich vermorschte, Volksscharen fuhren aus, die nicht wiederkehren wollten; die Krone versank, die Fluren verarmten, und das Volk erzählte sich seine Vergangenheit wie eine Sage. Das Große blieb nur im Gedicht. Aber der Strom drängt fort, heute und morgen. Einmal ist ein Tag, da ein jeder unter uns wacht an der Küste und ein Schiff bereit ist, in die Ferne zu tragen, ein einziges Mal. Und die Ferne wird sich wieder verschließen, und es ist eine große Gnade mit denen gewesen, die heimkehren durften, reich an den Bildern der Welt und unzerstörten Herzens.

Aber durch den Nebel der Tage, das Dunkel der Sturmnächte leuchtet der Weihnachtstag in überschwenglichem Licht. Ich sehe den Mimosenbaum wieder, dessen blütenschwere Zweige leise bebten zwischen Himmel und Meer; so mächtig war die Sonne, daß der Schatten der Palmen erquickte, und in reinstem Weiß übersprühte der Meeresschaum das von Möwen umjauchzte weit vorgeschobene Warttürmchen der Zitadelle. Die Hauptstadt erstrahlte in all dem Glanze, den Not und Schickung ihr nicht nehmen konnten. Die Melodie eines untergegangenen Volkes, eines Heimwehs, das keine Grenzen kennt, schwang durch die bunten Straßen auf den Hügeln, wo die Häuser sich über dem Schreitenden fast berühren, verfallene Treppen sich zu lange schon verschlossenen Toren emporwinden und eine Art begnadeter Armut es gelernt hat, sich zu ergeben, zu leiden, zu warten, dieses Leben auszuklagen in einem Lied.

Die kleine Fischerstadt draußen hatte sich, wie es schien, für das Fest nicht bereitet. Und dann war doch alles wunderbar um Mitternacht, da der Hahn wieder krähte und die Menschen sich in der Kirche drängten. Ein wenig vom Prunke verflossener Jahre erstrahlte noch im Kerzenschein. Doch was mochte es bedeuten gegen die unvergängliche Freude, die im ärmsten Gewand erschauerte vorm Altar! Und draußen standen die Palmen im Mondlicht wie im Heiligen Land; sie knisterten leise unter der Übermacht naher Sterne; das Meer rauschte herüber, das Gebirge, auf dem das verlassene Königsschloß steht, war eingehüllt in Glanz. Und es war, wie es sein wird, solange diese Erde noch währt: die Herrlichkeit des ewigen Königs war über sie gebreitet; ein Schimmer fiel über die armen Kinder, die eingeschlafen waren am erloschenen Feuer auf der Straße: sie hatten sich müde gelaufen und müde gespielt mit den Glocken und Ketten, die neben ihnen lagen, und vielleicht gewährte der Traum dieser Nacht ihnen ein Glück, das Menschen ihnen nicht bereiteten. Ein Schimmer übergoß die Boote im Sand und die ausgespannten Netze, die eines Fischzugs ohnegleichen zu harren schienen. Die Gleichniswelt Dessen war nahe herangekommen, der die Dinge der Erde erhoben hat zur Sprache ewiger Dinge: Sein war das nächtliche Meer, über das die Völker geflohen waren wie Schatten; Sein der Felsenstrand, den die Wogen nicht erschütterten; Sein die Menschen alle, die in dieser Nacht angerufen waren, den Strand der Heimat zu betreten, anders als die Eroberer und Heimkehrer, die mit nichtigen Schätzen von den Schiffen eilten oder sich als beschämte Bettler in die Häuser stahlen. Der Strand war aufgetan, der alles Schiffsvolk sammeln will, alle Mannschaft zertrümmerter Flotten, und mehr verheißt als jede Hoffnung, jeder Traum. Aber wer versteht die Zeichen der heiligen Nacht, und wer vermag sie in das Innerste seines Herzens zu nehmen? Und so müssen wir die Sturmnächte auskämpfen, in denen die Schiffe einander suchen und nicht finden von Jahr zu Jahr, bis wir endlich bereit werden für diese ganz andere, unvergleichliche Nacht. Wir haben sie oft schon durchschritten und doch noch nicht erfahren. Und einmal steigt sie aus der Erinnerung herauf als der Friede, an dem wir vorübergingen, und das Königreich, dessen kein Ende sein wird. Hier ruhen die Schiffe, sind die Netze schwer von Licht, schauert die Palme wie vom Vorübergange des Herrn. Hier ist der große Friede, der unser ganzes Leben löst; er war längst in ihm geborgen, aber wir wußten es nicht und suchten ihn ruhelos auf den Meeren. Begnadet vom Lichte der heiligen Nacht finden wir unter den Bildern unseres Lebens das tröstlichste, das uns zum Strand ohne Heimweh ruft, tief in uns selbst.

Truman Capote
Eine Weihnachtserinnerung

Stellt euch einen Morgen gegen Ende November vor! Das Heraufdämmern eines Wintermorgens vor mehr als zwanzig Jahren. Denkt euch die Küche eines weitläufigen alten Hauses in einem Landstädtchen. Ein großer schwarzer Kochherd bildet ihren wichtigsten Bestandteil, aber auch ein riesiger runder Tisch und ein Kamin sind da, vor dem zwei Schaukelstühle stehen. Und gerade heute begann der Kamin sein zur Jahreszeit passendes Lied anzustimmen.

Eine Frau mit kurzgeschorenem weißem Haar steht am Küchenfenster. Sie trägt Tennisschuhe und einen formlosen grauen Sweater über einem sommerlichen Kattunkleid. Sie ist klein und behende wie eine Bantam-Henne; aber infolge einer langen Krankheit in ihrer Jugend sind ihre Schultern kläglich verkrümmt. Ihr Gesicht ist auffallend: dem Lincolns nicht unähnlich, ebenso zerklüftet und von Sonne und Wind gegerbt; aber es ist auch zart, von feinem Schnitt, und die Augen sind sherryfarben und scheu. »O je«, ruft sie aus, daß die Fensterscheibe von ihrem Hauch beschlägt, »es ist Früchtekuchen-Wetter!«

Der, zu dem sie spricht, bin ich. Ich bin sieben. Sie ist sechzig und noch etwas darüber. Wir sind Vetter und Base, zwar sehr entfernte, und leben zusammen seit – ach, solange ich denken kann. Es wohnen noch andere Leute im Haus, Verwandte; und obwohl sie Macht über uns haben und uns oft zum Weinen bringen, merken wir im großen und ganzen doch nicht allzu viel von ihnen. Wir sind jeder des andern bester Freund. Sie nennt mich Buddy, zum Andenken an einen Jungen, der früher mal ihr bester Freund war. Der andere Buddy starb in den achtziger Jahren, als sie noch ein Kind war. Sie ist noch immer ein Kind. »Ich wußte es, noch eh' ich aus dem Bett stieg«, sagt sie und kehrt dem Fenster den Rücken. Ihre Augen leuchten zielbewußt. »Die Glocke auf dem Gericht hallte so kalt und klar. Und kein Vogel hat gesungen; sind vermutlich in wärmere Länder gezogen. O Buddy, hör auf, Biskuits zu futtern, und hol unser Wägelchen! Und hilf mir meinen Hut suchen! Wir müssen dreißig Kuchen backen.«

So ist es immer: Jedes Jahr im November dämmert ein Morgen herauf, und meine Freundin verkündet – wie um die diesjährige Weihnachtszeit feierlich zu eröffnen, die ihre Phantasie befeuert und die Glut ihres Herzens nährt –: »Es ist Früchtekuchen-Wetter! Hol unser Wägelchen! Hilf mir meinen Hut suchen!«

Der Hut findet sich: ein Wagenrad aus Stroh, geschmückt mit Samtrosen, die in Luft und Licht verblaßten; er gehörte einmal einer eleganteren Verwandten.

Zusammen ziehen wir unser Wägelchen, einen wackeligen Kinderwagen, aus dem Garten und zu einem Gehölz von Hickory-Nußbäumen. Das Wägelchen gehört mir, das heißt, es wurde für mich gekauft, als ich auf die Welt kam. Es ist aus Korbgeflecht, schon ziemlich aufgeräufelt, und die Räder schwanken wie die Beine eines Trunkenbolds. Doch ist es ein treuer Diener; im Frühling nehmen wir es mit in die Wälder und füllen es mit Blumen, Kräutern und wildem Farn für unsere Verandatöpfe; im Sommer häufen wir es voller Picknicksachen und Angelruten aus Zuckerrohr und lassen es zum Ufer eines Flüßchens hinunterrollen; auch im Winter findet es Verwendung: als Lastwagen, um Feuerholz vom Hof zur Küche zu befördern, und als warmes Bett für Queenie, unsern zähen, kleinen, rotweißen, rattenfangenden Terrier, der die Staupe und zwei Klapperschlangenbisse überstanden hat. Queenie trippelt jetzt neben uns einher.

Drei Stunden darauf sind wir wieder in der Küche und entkernen eine gehäufte Wagenladung Hickory-Nüsse, die der Wind heruntergeweht hat. Vom Aufsammeln tut uns der Rücken weh: Wie schwer sie unter dem welken Laub und im frostfahlen, irreführenden Gras zu finden waren! (Die Haupternte war schon von den Eigentümern des Wäldchens – und das sind nicht wir – von den Bäumen geschüttelt und verkauft worden.)

Krick-kräck! Ein lustiges Krachen, wie lauter Zwergen-Donnerschläge, wenn die Schalen zerbrechen und der goldene Hügel süßen, fetten, sahnefarbenen Nußfleisches in der Milchglasschüssel höher steigt. Queenie bettelt um einen Kosthappen, und hin und wieder gönnt meine Freundin ihr verstohlen ein Krümchen, wenn sie auch beteuert, daß wir's nicht entbehren können. »Wir dürfen's nicht, Buddy! Wenn wir mal damit anfangen, nimmt's keine Ende. Und wir haben fast nicht genug. Für dreißig Früchtekuchen!« In der Küche dunkelt es. Die Dämmerung macht aus dem Fenster einen Spiegel; unsre Spiegelbilder, wie wir beim Feuerschein vor dem Kamin arbeiten, mischen sich mit dem aufgehenden Mond. Endlich, als der Mond schon sehr hoch steht, werfen wir die letzte Nußschale in die Glut und sehen gemeinschaftlich seufzend zu, wie sie Feuer fängt. Das Wägelchen ist leer, die Schüssel ist bis zum Rand voller Nußkerne.

Wir essen unser Abendbrot (kalte Biskuits, Brombeermus und Speck) und besprechen den nächsten Tag. Morgen beginnt der Teil der Arbeit, der mir am besten gefällt: das Einkaufen. Kandierte Kirschen und Zitronen, Ingwer und Vanille und Büchsen-Ananas aus Hawaii, Orangeat und Zitronat und Rosinen und Walnüsse und Whisky und, oh, was für eine Unmenge Mehl und Butter, und so viele Eier und Gewürze und Aroma – jemine, wir brauchen wohl gar ein Pony, um das Wägelchen nach Hause zu ziehen!

Doch ehe die Einkäufe gemacht werden können, muß die Geldfrage gelöst werden. Wir haben beide keins, abgesehen von kläglichen Summen, mit denen uns die Leute aus dem Haus gelegentlich versehen (ein Zehner gilt schon als sehr viel Geld), oder von dem, was wir auf mancherlei Art selbst verdienen, indem wir einen Ramschverkauf veranstalten oder Eimer voll handgepflückter Brombeeren und Gläser mit hausgemachter Marmelade, mit Apfelgelee und Pfirsichkompott verkaufen oder für Begräbnisse und Trauungen Blumen pflücken. Mal haben wir auch bei einem nationalen Fußballtoto den neunundsiebzigsten Preis gewonnen, fünf Dollar! Nicht etwa, daß wir auch nur eine blasse Ahnung vom Fußball hätten! Es ist vielmehr so, daß wir einfach bei jedem Wettbewerb mitmachen, von dem wir hören. Augenblicklich richtet sich all unsre Hoffnung auf das große Preisausschreiben, bei dem man fünfzigtausend Dollar für den Namen einer neuen Kaffeesorte gewinnen kann. Unser einziges wirklich einträgliches Unternehmen war, um die Wahrheit zu gestehen, das Unterhaltungs- und Monstrositätenkabinett, das wir vor zwei Jahren in einem Holzschuppen auf dem Hof eröffnet hatten. Die Unterhaltung lieferte ein Stereoskop mit Ansichten aus Washington und New York, das uns eine Verwandte geliehen hatte, die dort gewesen war (als sie entdeckte, weshalb wir es geborgt hatten, wurde sie wütend); in der Monstrositätenabteilung hatten wir ein Küken mit drei Beinen, das eine von unsern eigenen Hennen ausgebrütet hatte. Jeder aus der ganzen Gegend wollte das Küken sehen: Wir verlangten von Erwachsenen einen Nickel und von Kindern zwei Cent und nahmen gute zwanzig Dollar ein, ehe das Kabinett infolge Ablebens seiner Hauptattraktion schließen mußte.

Irgendwie jedoch sparen wir jedes Jahr unser Weihnachtsgeld zusammen, in einer Früchtekuchen-Kasse. Wir bewahren das Geld in einem Versteck auf; in einer alten, perlenbestickten Geldbörse unter einer losen Diele unter dem Estrich unter dem Nachttopf unter dem Bett meiner Freundin. Die Geldbörse wird selten aus dem sicheren Gewahrsam hervorgeholt, es sei denn, um eine Einlage zu machen oder, wie es jeden Samstag vorkommt, um etwas abzuheben; denn samstags darf ich zehn Cent haben, um ins Kino zu gehen. Meine Freundin ist noch niemals in einem Kino gewesen und hat auch nicht die Absicht, je hinzugehen. »Lieber lass' ich mir die Geschichte von dir erzählen, Buddy! Dann kann ich's mir viel schöner ausmalen. Außerdem muß man in meinem Alter mit seinem Augenlicht schonend umgehen. Wenn der HERR kommt, möcht' ich IHN deutlich erkennen.« Aber nicht nur, daß sie nie in einem Kino war: Sie hat auch nie in einem Restaurant gegessen, ist nie weiter als zehn Kilometer von zu Hause fort gewesen, hat nie ein Telegramm erhalten oder abgeschickt, hat nie etwas anderes gelesen als das Witzblatt und die Bibel, hat sich nie geschminkt, hat nie geflucht, nie jemandem etwas Böses gewünscht, nie absichtlich gelogen und nie einen hungrigen Hund von der Türe gescheucht. Und nun ein paar von den Dingen, die sie getan hat und noch tut: mit einer Hacke die größte Klapperschlange totgeschlagen, die man jemals hierzulande gesehen hat (mit sechzehn Klappern), nimmt Schnupftabak (heimlich), zähmt Kolibris (versucht's nur mal!), bis sie ihr auf dem Finger balancieren, erzählt Geistergeschichten (wir glauben beide an Geister), aber so gruselige, daß man im Juli eine Gänsehaut bekommt, hält Selbstgespräche, geht gern im Regen spazieren, zieht die schönsten

Japonikas der Stadt und kennt das Rezept für jedes alte indianische Hausmittel, auch den Warzenzauber.

Jetzt, nach beendetem Abendbrot, ziehen wir uns in einem abgelegenen Teil des Hauses in das Zimmer zurück, in dem meine Freundin in einem eisernen Bett schläft, das in ihrer Lieblingsfarbe, rosa, gestrichen und mit einer bunten Flickerlsteppdecke zugedeckt ist. Stumm und in Verschwörerwonnen schwelgend, holen wir die Perlenbörse aus ihrem geheimen Versteck und schütten ihren Inhalt auf die Flickerldecke: Dollarscheine, fest zusammengerollt und grün wie Maiknospen; düstere Fünfzig-Cent-Stücke, schwer genug, um einem Toten die Lider zu schließen; hübsche Zehner, die munterste Münze, eine, die wirklich silbern klingelt; Nickel und Vierteldollars, glattgeschliffen wie Bachkiesel; aber hauptsächlich ein hassenswerter Haufen bitter riechender Pennies. Im vergangenen Sommer verpflichteten sich die andern im Haus, uns für je fünfundzwanzig totgeschlagene Fliegen einen Penny zu zahlen. Oh, welch Gemetzel im August: Wie viel Fliegen flogen in den Himmel! Doch es war keine Beschäftigung, auf die man stolz sein konnte. Und während wir jetzt dasitzen und die Pennies zählen, ist es uns, als ob wir wieder Tote-Fliegen-Tabellen aufstellten. Wir haben beide keinen Zahlensinn: Wir zählen langsam, kommen durcheinander und müssen wieder von vorn anfangen. Auf Grund ihrer Berechnungen haben wir zwölf Dollar dreiundsiebzig. Auf Grund meiner genau dreizehn Dollar. »Hoffentlich hast du dich verzählt, Buddy! Mit dreizehn können wir nichts anfangen. Dann gehen uns die Kuchen nicht auf. Oder jemand stirbt daran. Wo es mir doch nicht im Traum einfallen würde, am Dreizehnten aufzustehen!« Es ist wahr: Den Dreizehnten jeden Monats verbringt sie im Bett. Um also ganz sicherzugehen, nehmen wir einen Penny und werfen ihn aus dem Fenster.

Von den Zutaten, die wir für unsere Früchtekuchen brauchen, ist Whisky am teuersten, und er ist auch am schwierigsten zu beschaffen. Das Gesetz verbietet den Verkauf in unserem Staat. Doch jedermann weiß, daß man bei Mr. Haha Jones eine Flasche kaufen kann. Und am folgenden Tag, nachdem wir unsere prosaischeren Einkäufe gemacht haben, begeben wir uns zu Mr. Hahas Geschäftslokal, einem nach Ansicht der Leute »lasterhaften« Fischrestaurant und Tanzcafé unten am Fluß. Wir sind schon früher dort gewesen, und um das Gleiche zu besorgen; doch in den vorausgegangenen Jahren hatten wir mit Hahas Frau zu tun, einer jodbraunen Indianerin mit messinggelb gebleichtem Haar, die stets todmüde ist. Ihren Mann haben wir noch nie zu Gesicht bekommen, obwohl wir gehört haben, daß er auch ein Indianer ist. Ein Riese mit tiefen Rasiermessernarben auf beiden Backen. Er wird »Haha« genannt, weil er so düster ist – ein Mann, der nie lacht. Je mehr wir uns seinem Café nähern (einer großen Blockhütte, die innen und außen mit grellbunten Ketten nackter elektrischer Birnen bekränzt ist und am schlammigen Flußufer steht, im Schatten von Uferbäumen, durch deren Zweige die Flechten wie graue Nebel wehen), um so langsamer werden unsere Schritte. Sogar Queenie hört auf zu springen und geht bei Fuß. In Hahas Café sind schon Leute ermordet worden. Aufgeschlitzt. Den Schädel eingeschlagen. Im nächsten Monat wird wieder ein Fall vor Gericht verhandelt. Natürlich ereignen sich solche Vorfälle in der Nacht, wenn die bunten Lämpchen verrückte Muster bilden und das Grammophon winselt. Am Tag ist Hahas Café schäbig und öde. Ich klopfe an die Tür, Queenie bellt, und meine Freundin ruft: »Mrs. Haha, Ma'am? Ist jemand da?«

Schritte. Die Tür geht auf. Das Herz bleibt uns stehen. Es ist Mr. Haha Jones persönlich! Und er ist tatsächlich ein

Riese; er hat tatsächlich Narben; er lächelt tatsächlich nicht. Nein, aus schrägstehenden Satansaugen stiert er uns finster an und begehrt zu wissen: »Was wollt ihr von Haha?«

Einen Augenblick sind wir zu betäubt, um zu sprechen. Dann findet meine Freundin ihre Stimme wieder, bringt aber nicht mehr als ein Flüstern zustande: »Bitte schön, Mr. Haha, wir möchten gern einen Liter von Ihrem besten Whisky!«

Seine Augen werden noch schräger. Nicht zu glauben: Haha lächelt! Er lacht sogar! »Wer von euch beiden ist denn fürs Trinken?«

»Wir brauchen den Whisky für Früchtekuchen, Mr. Haha. Zum Backen!«

Das ernüchtert ihn. Er zieht die Augenbrauen zusammen. »Ist doch keine Art, guten Whisky zu verschwenden!« Trotzdem verzieht er sich in das schattige Café und erscheint ein paar Sekunden darauf mit einer Flasche butterblumengelben Alkohols ohne Etikett. Er läßt den Whisky im Sonnenlicht funkeln und sagt: »Zwei Dollar!«

Wir zahlen – mit Nickeln und Zehnern und Pennies.

Plötzlich wird sein Gesicht weich, und er klimpert mit den Münzen in seiner Hand, als ob's eine Faust voll Würfel wäre. »Ich will euch was sagen«, schlägt er uns vor und läßt das Geld wieder in unsere Perlbörse rutschen, »schickt mir statt dessen einen von euren Früchtekuchen!«

»Nein, wirklich«, sagt meine Freundin auf dem Heimweg, »was für ein reizender Mann! In seinen Früchtekuchen tun wir eine ganze Tasse Rosinen extra!«

Der schwarze Herd, der mit Kleinholz und Kohle gefüttert wird, glüht wie eine ausgehöhlte Kürbislaterne. Schneebesen schwirren, Löffel mahlen in Schüsseln voll Butter und Zucker, Vanille durchduftet die Luft, Ingwer würzt sie, schmelzende, die Nase kitzelnde Gerüche durchtränken die Küche, überschwemmen das ganze Haus und schweben mit den Rauchwölkchen durch den Kamin in die Welt hinaus. In vier Tagen haben wir die Arbeit geschafft. Einunddreißig Kuchen, mit Whisky befeuchtet, lagern warm auf Fensterbrettern und Regalen.

Für wen sind sie?

Für Freunde. Nicht unbedingt für Nachbarn. Nein, der größte Teil ist für Leute bestimmt, die wir vielleicht einmal, vielleicht auch nie gesehen haben. Leute, die unsere Phantasie beschäftigen. Wie der Präsident Roosevelt. Wie Ehrwürden und Mrs. J.C. Lucey, Baptisten-Missionare auf Borneo, die im vergangenen Winter hier einen Vortrag hielten. Oder der kleine Scherenschleifer, der zweimal jährlich durchs Städtchen kommt. Oder Abner Packer, der Fahrer vom Sechs-Uhr-Autobus aus Mobile, der uns tagtäglich zuwinkt, wenn er in einer Staubwolke vorüberbraust. Oder die jungen Winstons, ein Ehepaar aus Kalifornien, deren Wagen eines Tages vor unserer Haustür eine Panne hatte und die eine Stunde lang so nett mit uns auf der Veranda plauderten (Mr. Winston machte eine Aufnahme von uns, die einzige, die es von uns beiden gibt). Kommt es wohl daher, weil meine Freundin vor jedermann mit Ausnahme von Fremden scheu ist, daß uns die Fremden, flüchtige Zufallsbekannte, als unsre wahren Freunde erscheinen? Ich glaube, ja. Und die Sammelbücher, in die wir die Danksagungen auf Regierungsbriefpapier und hin und wieder eine Mitteilung aus Kalifornien oder Borneo und die Penny-Postkarten vom Scherenschleifer einkleben, geben uns das Gefühl, mit ereignisreicheren Welten verbunden zu sein, als es die Küche mit dem Blick auf einen abgeschnittenen Himmel ist.

Jetzt schabt ein dezemberkahler Feigenbaumzweig gegen das Fenster. Die Küche ist leer; die Kuchen sind fort. Gestern haben wir die letzten im Wägelchen zur Post gefahren, wo der Ankauf von Briefmarken unsre Börse umgestülpt hat. Wir sind pleite. Ich bin deswegen ziemlich niedergeschlagen, aber meine Freundin besteht darauf zu feiern, und zwar mit einem zwei Finger breiten Rest Whisky in Hahas Flasche. Queenie bekommt einen Teelöffel voll in ihren Kaffeenapf (sie nimmt ihren Kaffee gern stark und mit Zichorie gewürzt). Das Übrige verteilen wir auf zwei leere Geleegläser. Wir sind beide ganz ängstlich, daß wir unverdünnten Whisky trinken wollen; der Geschmack zieht uns das Gesicht zusammen, und wir müssen uns grimmig schütteln. Aber allmählich fangen wir an zu singen, und gleichzeitig singen wir beide zwei verschiedene Lieder. Ich kann die Worte meines Liedes nicht richtig, bloß: »Kommt nur all, kommt nur all, in der Niggerstadt ist Stutzerball!« Aber ich kann tanzen. Steptänzer im Film, das will ich nämlich werden. Mein tanzender Schatten hüpft über die Wände, von unseren Stimmen zittert das Porzellan, wir kichern, als ob unsichtbare Hände uns kitzelten. Queenie wälzt sich auf dem Rücken, ihre Pfoten trommeln durch die Luft, eine Art Grinsen verzerrt ihre schwarzen Lippen. Innerlich bin ich so warm und feurig wie die zerbröckelnde Glut der Holzscheite und so sorglos wie der Wind im Kamin. Meine Freundin walzt um den Kochherd und hält den Saum ihres billigen Kattunrocks zwischen den Fingerspitzen, als ob er ein Ballkleid wäre. »Zeig mir den Weg, der nach Hause führt«, singt sie, und ihre Tennisschuhe quietschen über den Fußboden. »Zeig mir den Weg, der nach Hause führt!«

Es treten auf: zwei Verwandte. Sehr empört. Allgewaltig mit Augen, die schelten, mit Zungen, die ätzen. Hört zu, was sie zu sagen haben und wie die Worte in zorniger Melodie übereinanderpurzeln: »Ein kleiner siebenjähriger Junge! Der nach Whisky riecht! Bist du von Gott verlassen? Einem Siebenjährigen so etwas zu geben! Mußt verrückt geworden sein! Der Weg, der ins Verderben führt! Hast wohl Base Kate vergessen? Und Onkel Charlie? Und Onkel Charlies Schwager? Schande! Skandal! Demütigend! Kniet nieder und betet, betet zum HERRN!« Queenie verkriecht sich unter dem Herd. Meine Freundin starrt auf ihre Schuhe, ihr Kinn zittert, sie hebt den Rock, schnaubt sich die Nase und läuft in ihr Zimmer. Lange nachdem die Stadt schlafen gegangen und das Haus verstummt ist und nur noch das Schlagen der Turmuhr und das Wispern der erlöschenden Glut verbleibt, weint sie in ihr Kissen hinein, das schon so naß ist wie ein Witwentaschentuch.

»Weine doch nicht!« sage ich zu ihr. Ich sitze am Fußende ihres Bettes und zittere meinem Flanellnachthemd zum Trotz, das noch nach dem Hustensaft vom vorigen Winter riecht. »Weine doch nicht«, bitte ich sie und kitzle sie an den Zehen und an den Fußsohlen, »du bist zu alt dafür!«

»Das ist's ja«, schluchzt sie, »ich *bin* zu alt. Alt und komisch.«

»Nicht komisch. Lustig. Mit keinem ist's so lustig wie mit dir. Laß doch! Wenn du nicht aufhörst mit Weinen, bist du morgen so müde, daß wir nicht fortgehen und den Baum abhacken können.«

Sie richtet sich auf. Queenie springt aufs Bett (was sie sonst nicht darf) und leckt ihr die Wangen. »Ich weiß eine Stelle, Buddy, wo es wunderschöne Bäume gibt. Und auch Stechpalmen. Mit Beeren, so groß wie deine Augen. Weit weg im Wald. Weiter, als wir je gewesen sind. Papa hat dort immer unsern Weihnachtsbaum geholt und auf der Schulter nach Hause getragen. Das war vor fünfzig Jahren. Ach, ich kann's gar nicht mehr abwarten, bis es morgen früh ist.«

Am andern Morgen. Das Gras funkelt im Rauhreif. Die Sonne, rund wie eine Orange und orangenrot wie Heißwettermonde, tänzelt über den Horizont und überglüht die versilberten Winterwälder. Ein wilder Truthahn ruft. Im Unterholz grunzt ein ausgerissenes Schwein. Bald sind wir am Rand eines knietiefen, schnellfließenden Wassers und müssen das Wägelchen stehen lassen. Queenie watet zuerst durch den Bach, paddelt hinüber und bellt klagend, weil die Strömung rasch ist und das Wasser so kalt, um Lungenentzündung zu bekommen. Wir folgen und halten unsre Schuhe und unsre Ausrüstung (ein Beil und einen Jutesack) über den Kopf. Noch fast zwei Kilometer weiter: Züchtigende Dornen, Kletten und Brombeerranken verhäkeln sich in unsern Kleidern; rostrote Kiefernnadeln leuchten mit grellbunten Schwämmen und ausgefallenen Vogelfedern. Hier und dort erinnern uns ein Aufblitzen, ein Flattern und ein schrilles Aufkreischen daran, daß nicht alle Vögel gen Süden gezogen sind. Immer wieder windet sich der Pfad durch zitronengelbe Sonnentümpel und pechdunkle Rankentunnel. Dann ist noch ein Bach zu überqueren: Von einer aufgescheuchten Armada gesprenkelter Forellen schäumt das Wasser um uns her, und Frösche von Tellergröße üben sich im Bauchsprung; Biber-Baumeister arbeiten an einem Damm. Am andern Ufer steht Queenie, schüttelt sich und zittert. Auch meine Freundin zittert, aber nicht vor Kälte, sondern vor Begeisterung. Als sie den Kopf hebt, um die kieferndufschwere Luft einzuatmen, wirft eine von den zerlumpten Rosen auf ihrem Hut ein Blütenblatt ab. »Wir sind gleich dort, Buddy! Riechst du ihn schon?« fragt sie, als ob wir uns einem Ozean näherten.

Und es ist wirklich eine Art Ozean. Duftende Bestände von Festtagsbäumen, stachelblättrige Stechpalmen. Rote Beeren, die wie chinesische Ballonblumen blinken: Schwarze Krähen stoßen krächzend auf sie nieder.

Nachdem wir unseren Jutesack so mit Grünzeug und

roten Beeren vollgestopft haben, daß wir ein Dutzend Fenster bekränzen können, machen wir uns daran, einen Baum zu wählen. »Er soll zweimal so groß wie ein Junge sein«, sagt meine Freundin nachdenklich. »Damit ein Junge nicht den Stern stibitzen kann.« Der Baum, den wir schließlich auswählen, ist zweimal so hoch wie ich. Ein wackerer, schmucker Geselle, hält er dreißig Beilhieben stand, bevor er krachend mit durchdringendem Schrei umkippt. Dann beginnt der lange Treck nach draußen: Wir schleppen ihn wie ein Stück Jagdbeute ab. Alle paar Meter geben wir den Kampf auf, setzen uns hin und keuchen. Aber wir haben die Kraft siegreicher Jäger; das und der starke, eisige Duft des Baumes beleben uns und spornen uns an. Auf der Rückkehr zur Stadt, bei Sonnenuntergang die rote Lehmstraße entlang, begleiten uns zahlreiche Komplimente; doch meine Freundin ist listig und verschwiegen, wenn Vorübergehende den in unserm Wägelchen thronenden Schatz loben: Was für ein schöner Baum, und woher er käme? »Von da drüben«, murmelt sie unbestimmt. Einmal hält ein Wagen, und die träge Frau des reichen Mühlenbesitzers lehnt sich hinaus und plärrt: »Ich geb' euch 'nen Vierteldollar für den schäbigen Baum!« Im allgemeinen sagt meine Freundin nicht gern nein; aber diesmal schüttelt sie sofort den Kopf: »Auch nicht für einen Dollar!« Die Frau des Mühlenbesitzers läßt nicht locker: »'nen Dollar? Ist ja verrückt! Fünfzig Cents – das ist mein letztes Wort. Meine Güte, Frau, ihr könnt euch ja 'nen andern holen!« Anstatt einer Antwort spricht meine Freundin nachdenklich vor sich hin: »Da hab' ich meine Zweifel. Zweimal das gleiche: Das gibt's nicht auf der Welt.«

Zu Hause. Queenie sackt vor dem Kamin zusammen und schläft, laut wie ein Mensch schnarchend, bis zum nächsten Morgen.

Ein Koffer in der Bodenkammer enthält: einen Schuhkarton voller Hermelinschwänze (vom Opernumhang einer merkwürdigen Dame, die mal im Haus ein Zimmer gemietet hatte), Ketten zerfransten Lamettas, das vor Alter goldbraun wurde, einen Silberstern und eine kurze Schnur mit altersschwachen, bestimmt gefährlichen, kerzenförmigen elektrischen Birnen. Ausgezeichneter Schmuck, soweit vorhanden, und das ist nicht viel: Meine Freundin möchte, daß unser Baum strahlt »wie ein Baptisten-Fenster« und daß er die Zweige unter Schneelasten von Schmuck niederhängen läßt. Doch die *made-in-Japan*-Herrlichkeiten des Einheitspreisladens können wir uns nicht leisten. Daher machen wir, was wir immer gemacht haben: Wir sitzen mit Schere und Bleistift und Stapeln von Buntpapier tagelang am Küchentisch. Ich mache Skizzen, und meine Freundin schneidet sie aus: eine Menge Katzen, auch Fische (weil sie leicht zu zeichnen sind), ein paar Äpfel, ein paar Wassermelonen, ein paar Engel mit Flügeln, die wir aus aufgespartem Silberpapier von Hershey-Riegeln zurechtbasteln. Wir benutzen Sicherheitsnadeln, um unsre Kunstwerke am Baum zu befestigen. Um ihm den letzten Schliff zu geben, bestreuen wir die Zweige mit zerschnittener Baumwolle (die wir zu diesem Zweck im August selber gepflückt haben). Meine Freundin betrachtet die Wirkung prüfend und schlägt die Hände zusammen. »Nun sag mal ehrlich, Buddy: Sieht's nicht zum Fressen schön aus?« Queenie versucht, einen Engel zu fressen.

Nachdem wir Stechpalmengirlanden für sämtliche Vorderfenster geflochten und mit Bändern umwunden haben, besteht unsere nächste Aufgabe im Fabrizieren von Geschenken für die Familie. Halstücher für die Damen aus Schnurbatik, für die Herren ein hausgemachter Sirup aus Zitronen, Lakritze und Aspirin, einzunehmen »bei den ersten Symptomen einer Erkältung« sowie nach der Jagd. Aber als es an der Zeit ist, unsre gegenseitigen Geschenke vorzubereiten, trennen wir uns, um im geheimen zu arbeiten. Kaufen würde ich ihr gern: ein Messer mit Perlmuttergriff, ein Radio, ein ganzes Pfund Kirschpralinés (wir haben mal ein paar gekostet, und seither beteuert sie: »Davon könnt' ich leben, Buddy, weiß Gott, das könnt' ich – und hab' Seinen Namen damit nicht unnütz in den Mund genommen«). Statt dessen baue ich ihr einen Drachen. Und sie würde mir gern ein Fahrrad kaufen. (Sie hat's mir schon millionenmal gesagt: »Wenn ich's nur könnte, Buddy! 's ist schlimm genug, wenn man im Leben auf etwas verzichten muß, was man selbst gern haben nöchte; aber was mich, zum Kuckuck, richtig verrückt macht, ist, wenn man einem andern nicht das schenken kann, was man ihm so sehr wünscht! Doch eines Tages tu' ich's, Buddy! Ich verschaffe dir ein Rad! Frag mich nicht, wie. Vielleicht stehl' ich's.«) Statt dessen, davon bin ich ziemlich überzeugt, baut sie mir wahrscheinlich auch einen Drachen – ebenso wie voriges Jahr und das Jahr davor; und ein Jahr noch weiter davor haben wir uns gegenseitig Schleudern gebastelt. Was mir alles sehr recht ist. Denn wir sind Champions im Drachensteigenlassen und studieren den Wind wie die Matrosen; meine Freundin, die mehr Talent hat als ich, kann einen Drachen in die Lüfte schikken, wenn nicht mal so viel Brise da ist, um die Wolken zu tragen.

Am Heiligabend kratzen wir nachmittags einen Nickel zusammen und gehen zum Metzger, um Queenies herkömmliches Geschenk, einen guten, abnagbaren Rindsknochen, zu kaufen. Der Knochen wird in lustiges Papier gewickelt und hoch in den Baum gehängt, in die Nähe des Silbersterns. Queenie weiß, daß er da ist. Sie hockt am Fuß des Baumes und starrt, vor Gier gebannt, nach oben: Als es

Schlafenszeit ist, weigert sie sich, von der Stelle zu gehen. Ihre Aufregung ist ebenso groß wie meine eigene. Ich zerwühle meine Bettdecken und drehe das Kopfkissen herum, als hätten wir eine sengendheiße Sommernacht. Irgendwo kräht ein Hahn; irrtümlicherweise, denn die Sonne ist noch auf der anderen Seite der Erde.

»Buddy, bist du wach?« Es ist meine Freundin, die von ihrem Zimmer aus ruft, das neben meinem liegt; und einen Augenblick drauf sitzt sie auf meinem Bettrand und hält eine Kerze in der Hand. »Ach, ich kann kein Auge zumachen«, erklärt sie. »Meine Gedanken hüpfen wie Kaninchen herum. Buddy, glaubst du, daß Mrs. Roosevelt unsern Kuchen zum Weihnachtsessen auftragen läßt?« Wir kuscheln uns im Bett zusammen, und sie drückt mir die Hand »Hab-dich-lieb«. »Mir scheint, deine Hand war früher viel kleiner. Ach, mir ist's schrecklich, wenn du älter wirst! Wenn du groß bist – ob wir dann noch Freunde sind?« Ich antworte: »Immer!« – »Aber ich bin so traurig, Buddy! Ich wollte dir so gern ein Fahrrad schenken. Ich hab' versucht, die Kameenbrosche zu verkaufen, die Papa mir geschenkt hat. Buddy...« Sie stockt, als sei sie zu verlegen. »Ich hab' dir wieder einen Drachen gemacht!« Dann gestehe ich, daß ich ihr auch einen gemacht habe, und wir lachen.

Die Kerze brennt so weit herunter, daß man sie nicht mehr halten kann. Sie geht aus, und der Sternenschimmer ist wieder da, und die Sterne kreisen vor dem Fenster wie ein sichtbares Jubilieren, das der Anbruch des Tages langsam, ach, so langsam zum Verstummen bringt. Vielleicht schlummern wir ein bißchen; aber die Morgendämmerung spritzt uns wie kaltes Wasser ins Gesicht: Wir sind auf, mit großen Augen, und wandern umher und warten, daß die andern aufwachen. Mit voller Absicht läßt meine Freundin einen Kessel auf den Küchenfußboden fallen. Ich steptanze vor verschlossenen Türen. Eins ums andere tauchen die Familienmitglieder auf und sehen aus, als ob sie uns am liebsten umbringen würden; aber es ist Weihnachten, daher können sie's nicht. Zuerst gibt's ein großartiges Frühstück, es ist einfach alles da, was man sich nur vorstellen kann: von Pfannkuchen und Eichhörnchenbraten bis zu Maisgrütze und Wabenhonig. Was alle in gute Laune versetzt, mich und meine Freundin ausgenommen. Offen gestanden können wir vor Ungeduld, daß es endlich mit den Geschenken losgehen soll, keinen Bissen essen.

Leider bin ich enttäuscht. Das wäre wohl jeder. Socken, ein Sonntagsschulhemd, ein paar Taschentücher, ein fertiggekaufter Sweater und ein Jahresabonnement auf eine fromme Zeitschrift für Kinder: »Der kleine Hirte«. Ich platze vor Ärger. Wahrhaftig!

Meine Freundin macht einen besseren Fang. Ein Beutel mit Satsuma-Mandarinen – das ist ihr bestes Geschenk. Sie selbst ist jedoch stolzer auf einen weißwollenen Schal, den ihre verheiratete Schwester ihr gestrickt hat. Aber *sagen* tut sie, ihr schönstes Geschenk sei der Drachen, den ich ihr gebaut habe. Und er *ist* auch sehr schön, wenn auch nicht ganz so schön wie der, den sie mir gemacht hat, denn der ist blau und übersät mit goldenen und grünen Leitsternen, und außerdem ist noch mein Name, Buddy, draufgemalt.

»Buddy, der Wind weht!«

Der Wind weht, und alles andere ist uns einerlei, bis wir zum Weideland hinter dem Haus gerannt sind, wo Queenie hingerast ist, um ihren Knochen zu vergraben (und wo sie selbst einen Winter drauf begraben wird). Dort tauchen wir in das gesunde, gürtelhohe Gras, wickeln an unsern Drachen die Schnur auf und fühlen, wie sie gleich Himmelsfischen an der Schnur zerren und in den Wind hineinschwimmen. Zufrieden und sonnenwarm lagern wir uns im Gras, schälen Mandarinen und sehen den Kunststückchen unsrer Drachen zu. Bald habe ich die Socken und den fertig gekauften Sweater vergessen. Ich bin so glücklich, als hätten wir beim Großen Preisausschreiben die fünfzigtausend Dollar für den Kaffeenamen gewonnen.

»Ach, wie dumm ich auch bin«, ruft meine Freundin und ist plötzlich so munter wie eine Frau, der es zu spät einfällt, daß sie einen Kuchen im Ofen hat. »Weißt du, was ich immer geglaubt habe?« fragt sie mit Entdeckerstimme und lächelt nicht mich an, sondern über mich hinaus. »Ich hab' immer gedacht, der Mensch müßte erst krank werden und im Sterben liegen, ehe er den HERRN zu Gesicht bekommt. Und ich hab' mir vorgestellt, wenn ER dann käme, wär's so, wie wenn man auf das Baptisten-Fenster schaut: schön wie farbiges Glas, durch das die Sonne scheint, und solch ein Glanz, daß man nicht merkt, wenn's dunkel wird. Und es ist mir ein Trost gewesen, an den Glanz zu denken, der alles Spukgefühl fortjagt. Aber ich wette, daß es gar nicht so kommt. Ich wette, zuallerletzt begreift der Mensch, daß der HERR sich bereits gezeigt hat. Daß einfach alles, wie es ist (ihre Hand beschreibt einen Kreis, der Wolken und Drachen und Gras und Queenie einschließt, die eifrig Erde über ihren Knochen scharrt), und eben das, was der Mensch schon immer gesehen hat – daß das ›IHN‹-Sehen‹ war. Und ich – ich könnte mit dem Heute in den Augen die Welt verlassen.«

Es ist unser letztes gemeinsames Weihnachten. Das Leben trennt uns. Die Alles-am-besten-Wisser bestimmen, daß ich auf eine Militärschule gehöre. Und so folgt eine elende Reihe von Gefängnissen mit Signalhörnern oder grimmigen, von Reveille-Klängen verpesteten Sommerlagern. Ich habe auch ein neues Zuhause. Aber das zählt nicht. Zu Hause ist dort, wo meine Freundin ist, und ich komme nie dorthin.

Und sie bleibt dort und kramt in der Küche herum. Allein mit Queenie. Dann ganz allein. (»Liebster Buddy«, schreibt sie in ihrer wilden, schwer leserlichen Schrift, »gestern hat Jim Macys Pferd ausgeschlagen und Queenie einen schlimmen Tritt versetzt. Sei dankbar, daß sie nicht viel gespürt hat. Ich hab' sie in ein feines Leinentuch eingewickelt und im Wägelchen zu Simpsons Weideland hinuntergefahren, wo sie nun bei all ihren vergrabenen Knochen ist.«) Ein paar Novembermonate hindurch fährt sie noch fort, allein Früchtekuchen zu backen; nicht so viele wie früher, aber einige, und natürlich schickt sie mir immer das »Prachtexemplar«. Sie fügt auch in jedem Brief einen dick in Toilettenpapier eingewickelten Zehner bei: »Geh in einen Film und erzähl mir im nächsten Brief die Geschichte!« Aber allmählich verwechselt sie mich in ihren Briefen mit ihrem andern Freund, mit dem Buddy, der in den achtziger Jahren starb. Immer häufiger ist der Dreizehnte nicht der einzige Tag des Monats, an dem sie im Bett bleibt. Und es kommt ein Morgen im November, der Anbruch eines blätterkahlen, vogelstummen Wintermorgens, an dem sie sich nicht aufraffen kann, um auszurufen: »O je, 's ist Früchtekuchen-Wetter!«

Und als *das* geschieht, weiß ich Bescheid. Der Brief, der es mir mitteilt, bestätigt nur die Meldung, die eine geheime Ader schon erhalten hat und durch die ein unersetzbares Teil meiner selbst von mir getrennt und freigelassen wird wie ein Drachen an einer gerissenen Schnur. Deshalb muß ich jetzt an diesem bestimmten Dezembermorgen, während ich über den Schulcampus wandere, immer wieder den Himmel absuchen. Als ob ich erwartete, ein verirrtes Drachenpaar zu sehen, das, fast zwei Herzen gleichend, gen Himmel eilt.

Leonid Andrejew
Das Engelchen

er kleine Sascha hatte ein widerspenstiges Seelchen, manchmal kam ihm der Wunsch, dasjenige nicht zu tun, was man schlechtweg »leben« nennt, er wollte nicht früh aufstehen, sich nicht mit kaltem Wasser waschen, nicht zur Schule gehen, – da er aber erst acht Jahre alt war, wußte er nicht, wie man es einrichten könnte, nicht zu tun, was von ihm verlangt wurde, so tat er es weiter, doch tat er alles schlecht und brachte zu Weihnachten ein schlechtes Zeugnis aus der Schule. Heimkehrend, ging er zum Vater – diesen hatte er sehr lieb und hoffte von ihm weniger Tadel zu hören.

»Sascha!« sagte der Vater, »warum nur bist du so widerspenstig? Und Sweschnikows haben für dich eine Einladung zum Weihnachtsbaum geschickt.«

Sweschnikows waren reiche Leute, sie bezahlten das Schulgeld für Sascha, dessen Vater ihr früherer, wegen Krankheit früh pensionierter Beamter war. Sascha war es nicht angenehm, der Einladung Folge zu leisten, man würde dort sicher fragen, wie es ihm in der Schule ergehe. Doch bestand die Mutter darauf, daß er hingehe, und – um Sascha zum Gehorchen zu bewegen, sagte der Vater: »Geh hin, Söhnchen, vielleicht gibt man dir für mich ein kleines Geschenk, ich sitze schon eine Woche ohne Tabak.« Das genügte, um Sascha gefügig zu machen . . .

Die Kinder wurden nicht gleich in den Saal gelassen, sie waren aufgeregt und lärmten in Erwartung der Weihnachts-Bescherung. Da öffnete sich die Tür, und – den

Atem anhaltend, die Äuglein weit aufgerissen, liefen alle in den Saal, wo eine große, herrlich geschmückte Tanne stand. Sascha ging, gleich den anderen Kindern, rund um den Baum; auf einmal blieb er stehen, seine Augen blitzten vor Verwunderung: auf einem der oberen Äste sah er einen aus Wachs gefertigten Engel hängen, seine Flügelchen waren durchsichtig und zitterten, bewegt durch die Wärme der rundum brennenden Kerzen. Er sah wie lebend aus, als wäre er bereit, gleich davonzufliegen. Sascha starrte ihn an, und in ihm erstand ein so starker Wunsch, den Engel sein eigen zu nennen, daß er – trotz seiner großen Schüchternheit – zur Hausfrau lief und sie bat: »Tantchen! Bitte, schenk mir den Engel!« »Das geht nicht, mein Kind; alle Sachen müssen bis Neujahr am Baum hängen bleiben, dann erst werden sie an die Kinder verteilt.« Sascha schien, als falle er in einen tiefen Abgrund... Er griff zu einem neuen Mittel: »Tantchen«, sagte er, »ich bereue es, unartig gewesen zu sein, und verspreche fest, von nun an gut zu lernen...« Doch auch diese Worte erweichten das Herz der Hausfrau nicht. Da rief Sascha mit entsetzter Stimme: »Gib ihn mir! Ich muß ihn haben!« und fiel vor Frau Sweschnikowa auf die Knie. »Du bist ja verrückt! Auf die Knie fallen tut man nur im Gebet vor Gott.« Doch als sie in die Augen des Buben schaute, unterbrach sie ihre Belehrung und fügte hinzu: »Was du für ein dummes Menschlein bist! Meinetwegen, – sollst das Engelchen haben.« Als Sascha den Engel in Händen hielt, blitzten ihm Tränen in den Augen, er sah die Hausfrau mit seligem Lächeln an, seufzte tief und verließ eilig den Saal. Er suchte nach seinem Mantel und lief heim. Die Mutter hatte sich schon niedergelegt, ermüdet von der Vorfeiertagsputzerei, in der Küche brannte aber noch eine kleine Petroleum-Lampe, der Vater wartete auf die Heimkehr von Sascha...

»Ist der Engel nicht wunderschön?« fragte der Knabe.

»Ja«, entgegnete der Vater, »er hat was Besonderes an sich, paß auf, daß er uns nicht davonfliegt!« Sascha starrte das Spielzeug an, unter seinem unverwandten Blick schien das Engelchen größer, leuchtender zu werden, seine Flügel bebten noch stärker... und alles, die blakende Lampe, die verrauchte Tapete, der einfache Holztisch, ja die ganze ärmliche Einrichtung des Raumes verschwand... Dem alten Mann schien, er befinde sich wieder in der Welt, zu der er einst, als er noch nicht arbeitslos war, gehörte, als er weder Sorgen noch Not kannte, als sein Leben froh und hell dahinfloß... Das Engelchen war herabgestiegen und hatte einen Lichtstrahl in sein graues, eintöniges Leben gebracht. Und neben ihm, dem Alten, saß mit leuchtenden Augen, gleich glücklich wie er, das am Anfang des Lebens stehende Menschlein. Für beide waren Gegenwart und Zukunft entschwunden... Formlos und nebelhaft war Saschas Träumerei, alles Schöne, alle Hoffnungen seiner sehnenden Seele schien das Engelchen in sich eingesogen zu haben, daher strahlte es in solch herrlichem Licht, daher bebten so geheimnisvoll seine Flügel... In solchen Halbtraum versunken, war Sascha unbemerkt eingeschlafen, auch der Vater begab sich zur Ruhe.

Und das Engelchen? Aufgehängt in der Nähe des warmen Ofens, begann es zu schmelzen, dicke Wachstropfen flossen längs seiner Füßchen hinab, dann erbebte der ganze Engel, als wolle er tatsächlich fortfliegen, und fiel auf die heißen Platten des Ofens. Eine neugierige Schabe begann die formlose Wachsmasse zu umkreisen, lief dann eilig davon... Ins Fenster drang das Licht der Morgendämmerung, im Hof klapperte der Wagen des Milchmanns, – und der Engel war nicht mehr! Was tat's? Durch sein kurzes Dasein hatte er doch die zwei Menschen für einige Zeit so glücklich gemacht!

Peter Rosegger

Als ich Christtagsfreude holen ging

An meinem zwölften Lebensjahre wird es gewesen sein, als am Frühmorgen des heiligen Christabends mein Vater mich an der Schulter rüttelte: ich solle aufwachen und zur Besinnung kommen, er habe mir etwas zu sagen. Die Augen waren bald offen, aber die Besinnung! Als ich unter Mithilfe der Mutter angezogen war und bei der Frühsuppe saß, verlor sich die Schlaftrunkenheit allmählich, und nun sprach mein Vater: »Peter, jetzt höre, was ich dir sage. Da nimm einen leeren Sack, denn du wirst was heimtragen. Da nimm meinen Stecken, denn es ist viel Schnee, und da nimm eine Laterne, denn der Pfad ist schlecht, und die Stege sind vereist. Du mußt hinabgehen nach Langenwang. Den Holzhändler Spreitzegger zu Langenwang, den kennst du, der ist mir noch immer das Geld schuldig, zwei Gulden und sechsunddreißig Kreuzer für den Lärchbaum. Ich laß ihn bitten drum; schön höflich anklopfen und den Hut abnehmen, wenn du in sein Zimmer trittst. Mit dem Geld gehst nachher zum Kaufmann Doppelreiter und kaufest zwei Maßel Semmelmehl und zwei Pfund Rindschmalz und um zwei Groschen Salz, und das tragst heim.«

Jetzt war aber auch meine Mutter zugegen, ebenfalls schon angekleidet, während meine sechs jüngeren Geschwister noch ringsum an der Wand in ihren Bettchen schliefen. Die Mutter, die redete drein wie folgt: »Mit Mehl und Schmalz und Salz allein kann ich kein Christtagsessen richten. Ich brauch' dazu noch Germ (Bierhefe) um einen

Groschen, Weinbeerln um fünf Kreuzer, Zucker um fünf Groschen, Safran um zwei Groschen und Neugewürz um zwei Kreuzer. Etliche Semmeln werden auch müssen sein.«

»So kaufest es«, setzte der Vater ruhig bei. »Und wenn dir das Geld zu wenig wird, so bittest den Herrn Doppelreiter, er möcht' die Sachen derweil borgen, und zu Ostern, wenn die Kohlenraitung (Verrechnung) ist, wollt' ich schon fleißig zahlen. Eine Semmel kannst unterwegs selber essen, weil du vor Abend nicht heimkommst. Und jetzt kannst gehen, es wird schon fünf Uhr, und daß du noch die Achte-Messe erlangst zu Langenwang.«

Das war alles gut und recht. Den Sack band mein Vater mir um die Mitte, den Stecken nahm ich in die rechte Hand, die Laterne mit der frischen Unschlittkerze in die linke, und so ging ich davon, wie ich zu jener Zeit in Wintertagen oft davongegangen war. Der durch wenige Fußgeher ausgetretene Pfad war holperig im tiefen Schnee, und es ist nicht immer leicht, nach den Fußstapfen unserer Vorderen zu wandeln, wenn diese zu lange Beine gehabt haben. Noch nicht dreihundert Schritte war ich gegangen, so lag ich im Schnee, und die Laterne, hingeschleudert, war ausgelöscht. Ich suchte mich langsam zusammen, und dann schaute ich die wunderschöne Nacht an. Anfangs war sie ganz grausam finster, allmählich hub der Schnee an, weiß zu werden und die Bäume schwarz, und in der Höhe war helles Sternengefunkel. In den Schnee fallen kann man auch ohne Laterne, so stellte ich sie seithin unter einen Strauch, und ohne Licht ging's nun besser als vorhin.

In die Talschlucht kam ich hinab, das Wasser des Fresenbaches war eingedeckt mit glattem Eise, auf welchem, als ich über den Steg ging, die Sterne des Himmels gleichsam Schlittschuh liefen. Später war ein Berg zu übersteigen; auf dem Passe, genannt der »Höllkogel«, stieß ich zur wegsamen Bezirksstraße, die durch Wald und Wald hinabführt in das Mürztal. In diesem lag ein weites Meer von Nebel, in welches ich sachte hineinkam, und die feuchte Luft fing an, einen Geruch zu haben, sie roch nach Steinkohlen; und die Luft fing an, fernen Lärm an mein Ohr zu tragen, denn im Tale hämmerten die Eisenwerke, rollte manchmal ein Eisenbahnzug über dröhnende Brücken.

Nach langer Wanderung ins Tal gekommen zur Landstraße, klingelte Schlittengeschelle, der Nebel ward grau und lichter, so daß ich die Fuhrwerke und Wandersleute, die für die Feiertage nach ihren Heimstätten reisten, schon auf kleine Strecken weit sehen konnte. Nachdem ich eine Stunde lang im Tale fortgegangen war, tauchte links an der Straße im Nebel ein dunkler Fleck auf, rechts auch einer, links mehrere, rechts eine ganze Reihe – das Dorf Langenwang.

Alles, was Zeit hatte, ging der Kirche zu, denn der Heilige Abend ist voller Vorahnung und Gottesweihe. Bevor noch die Messe anfing, schritt der hagere gebückte Schulmeister durch die Kirche, musterte die Andächtigen, als ob er jemanden suche. Endlich trat er an mich und fragte leise, ob ich ihm nicht die Orgel melken wolle, es sei der Mesnerbub krank. Voll Stolz und Freude, also zum Dienste des Herrn gewürdigt zu sein, ging ich mit ihm auf den Chor, um bei der heiligen Messe den Blasebalg der Orgel zu ziehen. Während ich die zwei langen Lederriemen abwechselnd aus dem Kasten zog, in welchen jeder derselben allemal wieder langsam hineinkroch, orgelte der Schulmeister, und seine Tochter sang also:

»Tauet, Himmel, den Gerechten,
Wolken, regnet ihn herab!
Also rief in bangen Nächten
einst die Welt, ein weites Grab.

In von Gott verhaßten Gründen
herrschten Satan, Tod und Sünden,
fest verschlossen war das Tor
zu dem Himmelreich empor.«

Ferner erinnere ich mich, an jenem Morgen nach dem Gottesdienst in der dämmerigen Kirche vor ein Heiligenbild hingekniet zu sein und gebetet zu haben um Glück und Segen zur Erfüllung meiner bevorstehenden Aufgabe. Das Bild stellte die vierzehn Nothelfer dar – einer wird doch dabei sein, der zur Eintreibung von Schulden behilflich ist. Es schien mir aber, als schiebe während meines Gebetes auf dem Bilde einer sich sachte hinter den andern zurück.

Trotzdem ging ich guten Mutes hinaus in den nebeligen Tag, wo alles emsig war in der Vorbereitung zum Feste, und ging dem Hause des Holzhändlers Spreitzegger zu. Als ich daran war, zur vorderen Tür hineinzugehen, wollte der alte Spreitzegger, soviel ich mir später reimte, durch die hintere Tür entwischen. Es wäre ihm gelungen, wenn mir nicht im Augenblicke geschwant hätte: Peter, geh nicht zur vorderen Tür ins Haus wie ein Herr, sei demütig, geh zur hinteren Tür hinein, wie es dem Waldbauernbuben geziemt. Und knapp an der hinteren Tür trafen wir uns.

»Ah, Bübel, du willst dich wärmen gehen«, sagte er mit geschmeidiger Stimme und deutete ins Haus, »na, geh dich nur wärmen. Ist kalt heut!« Und wollte davon.

»Mir ist nicht kalt«, antwortete ich, »aber mein Vater läßt den Spreitzegger schön grüßen und bitten ums Geld.«

»Ums Geld? Wieso?« fragte er, »ja richtig, du bist der Waldbauernbub. Bist früh aufgestanden, heut, wenn du schon den weiten Weg kommst. Rast nur ab. Und ich laß deinen Vater auch schön grüßen und glückliche Feiertage wünschen; ich komm' ohnehin ehzeit einmal zu euch hinauf, nachher wollen wir schon gleich werden.«

Fast verschlug's mir die Rede, stand doch unser ganzes Weihnachtsmahl in Gefahr vor solchem Bescheid.

»Bitt' wohl von Herzen schön ums Geld, muß Mehl kaufen und Schmalz und Salz, und ich darf nicht heimkommen mit leerem Sack.«

Er schaute mich starr an. »Du kannst es!« brummte er, zerrte mit zäher Gebärde seine große, rote Brieftasche hervor, zupfte in den Papieren, die wahrscheinlich nicht pure Banknoten waren, zog einen Gulden heraus und sagte: »Na, so nimm derweil das, in vierzehn Tagen wird dein Vater den Rest schon kriegen. Heut hab' ich nicht mehr.«

Den Gulden schob er mir in die Hand, ging davon und ließ mich stehen.

Ich blieb aber nicht stehen, sondern ging zum Kaufmann Doppelreiter. Dort begehrte ich ruhig und gemessen, als ob nichts wäre, zwei Maßel Semmelmehl, zwei Pfund Rindschmalz, um zwei Groschen Salz, um einen Groschen Germ, um fünf Kreuzer Weinbeerln, um fünf Groschen Zucker, um zwei Groschen Safran und um zwei Kreuzer Neugewürz. Der Herr Doppelreiter bediente mich selbst und machte mir alles hübsch zurecht in Päckchen und Tütchen, die er dann mit Spagat zusammen in ein einziges Paket band und an den Mehlsack so hing, daß ich das Ding über der Achsel tragen konnte, vorn ein Bündel und hinten ein Bündel.

Als das geschehen war, fragte ich mit einer nicht minder tückischen Ruhe als vorhin, was das alles zusammen ausmache.

»Das macht drei Gulden fünfzehn Kreuzer«, antwortete er mit Kreide und Mund.

»Ja, ist schon recht«, hierauf ich, »da ist derweil ein

Gulden, und das andere wird mein Vater, der Waldbauer in Alpel, zu Ostern zahlen.«

Schaute mich der bedauernswerte Mann an und fragte höchst ungleich: »Zu Ostern? In welchem Jahr?«

»Na, nächst Ostern, wenn die Kohlenraiting ist.«

Nun mischte sich die Frau Doppelreiter, die andere Kunden bediente, drein und sagte: »Laß ihm's nur, Mann, der Waldbauer hat schon öfter auf Borg genommen und nachher allemal ordentlich bezahlt. Laß ihm's nur.«

»Ich laß ihm's ja, werd' ihm's nicht wieder wegnehmen«, antwortete der Doppelreiter. Das war doch ein bequemer Kaufmann! Jetzt fielen mir auch die Semmeln ein, welche meine Mutter noch bestellt hatte.

»Kann man da nicht auch fünf Semmeln haben?« fragte ich.

»Semmeln kriegt man beim Bäcker«, sagte der Kaufmann.

Das wußte ich nun gleichwohl, nur hatte ich mein Lebtag nichts davon gehört, daß man ein paar Semmeln auf Borg nimmt, daher vertraute ich der Kaufmännin, die sofort als Gönnerin zu betrachten war, meine vollständige Zahlungsunfähigkeit an. Sie gab mir zwei bare Groschen für Semmeln, und als sie nun noch beobachtete, wie meine Augen mit den reiffeuchten Wimpern fast unablösbar an den gedörrten Zwetschgen hingen, die sie einer alten Frau in den Korb tat, reichte sie mir auch noch eine Handvoll dieser köstlichen Sache zu: »Unterwegs zum Naschen.«

Nicht lange hernach, und ich trabte, mit meinen Gütern reich und schwer bepackt, durch die breite Dorfgasse dahin. Überall in den Häusern wurde gemetzgert, gebakken, gebraten, gekellert; ich beneidete die Leute nicht, ich bedauerte sie vielmehr, daß sie nicht ich waren, der, mit so großem Segen beladen, gen Alpel zog. Das wird morgen ein Christtag werden! Denn die Mutter kann's, wenn sie die Sachen hat. Ein Schwein ist ja auch geschlachtet worden daheim, das gibt Fleischbrühe mit Semmelbrokken, Speckfleck, Würste, Nieren-Lümperln, Knödelfleisch mit Kren, dann erst die Krapfen, die Zuckernudeln, das Schmalzkoch mit Weinbeerln und Safran! – Die Herrenleut' da in Langenwang haben so was alle Tag', das ist nichts, aber wir haben es im Jahr einmal und kommen mit unverdorbenem Magen dazu, das ist was! – Und doch dachte ich auf diesem belasteten Freudenmarsch weniger noch ans Essen als an das liebe Christkind und sein hochheiliges Fest. Am Abende, wenn ich nach Hause komme, werde ich aus der Bibel davon vorlesen, die Mutter und die Magd Mirzel werden Weihnachtslieder singen; dann, wenn es zehn Uhr wird, werden wir uns aufmachen nach Sankt Kathrein und in der Kirche die feierliche Christmette begehen bei Glock, Musik und unzähligen Lichtern. Und am Seitenaltar ist das Krippel aufgerichtet mit Ochs und Esel und den Hirten, und auf dem Berg die Stadt Bethlehem und darüber die Engel, singend: Ehre sei Gott in der Höhe! – Diese Gedanken trugen mich anfangs wie Flügel. Doch als ich eine Weile die schlittenglatte Landstraße dahingegangen war, unter den Füßen knirschenden Schnee, mußte ich mein Doppelbündel schon einmal wechseln von einer Achsel auf die andere.

In der Nähe des Wirtshauses »Zum Sprengzaun« kam mir etwas Vierspänniges entgegen. Ein leichtes Schlittlein, mit vier feurigen, hochaufgefederten Rappen bespannt, auf dem Bock ein Kutscher mit glänzenden Knöpfen und einem Buttenhut. Der Kaiser? Nein, der Herr Wachtler vom Schlosse Hohenwang saß im Schlitten, über und über in Pelze gehüllt und eine Zigarre schmauchend. Ich blieb stehen, schaute dem blitzschnell vorüberrutschenden Zeug eine Weile nach und dachte: Etwas krumm ist es doch eingerichtet auf dieser Welt: Da sitzt ein starker Mann drin und läßt sich hinziehen mit so viel überschüssiger Kraft, und ich vermag mein Bündel kaum zu schleppen.

Mittlerweile war es Mittagszeit geworden. Durch den Nebel war die milchweiße Scheibe der Sonne zu sehen; sie war nicht hoch am Himmel hinaufgestiegen, denn um vier Uhr wollte sie ja wieder unten sein, zur langen Christnacht. Ich fühlte in den Beinen manchmal so ein heißes Prickeln, das bis in die Brust hinaufstieg, es zitterten mir die Glieder. Nicht weit von der Stelle, wo der Weg nach Alpel abzweigt, stand ein Kreuz mit dem lebensgroßen Bilde des Heilands. Es stand, wie es heute noch steht, an seinem Fuß Johannes und Magdalena, das Ganze mit einem Bretterverschlag verwahrt, so daß es wie eine Kapelle war. Vor dem Kreuze auf die Bank, die für kniende Beter bestimmt ist, setzte ich mich nieder, um Mittag zu halten. Eine Semmel, die gehörte mir, meine Neigung zu ihr war so groß, daß ich sie am liebsten in wenigen Bissen verschluckt hätte. Allein das schnelle Schlucken ist nicht gesund, das wußte ich von anderen Leuten, und das langsame Essen macht einen längeren Genuß, das wußte ich schon von mir selber. Also beschloß ich, die Semmel recht gemächlich und bedächtig zu genießen und dazwischen manchmal eine gedörrte Zwetschge zu naschen.

Es war eine sehr köstliche Mahlzeit; wenn ich heute etwas recht Gutes haben will, das kostet außerordentliche Anstrengungen aller Art; ach, wenn man nie und nie einen Mangel zu leiden hat, wie wird man da arm!

Und wie war ich so reich damals, als ich arm war!

Als ich nach der Mahlzeit mein Doppelbündel wieder auflud, war's ein Spaß mit ihm, flink ging es voran. Als ich später in die Bergwälder hinaufkam und der graue Nebel dicht in den schneebeschwerten Bäumen hing, dachte ich an den Grabler Hansel. Das war ein Kohlenführer, der täglich von Alpel seine Fuhre ins Mürztal lieferte. Wenn er auch heute gefahren wäre! Und wenn er jetzt heimwärts mit dem leeren Schlitten des Weges käme und mir das Bündel auflüde! Und am Ende gar mich selber! Daß es so heiß sein kann im Winter! Mitten in Schnee und Eisschollen schwitzen! Doch morgen wird alle Mühsal vergessen sein. – Derlei Gedanken und Vorstellungen verkürzten mir unterwegs die Zeit.

Auf einmal roch ich starken Tabakrauch. Knapp hinter mir ging – ganz leise auftretend – der grüne Kilian. Der Kilian war früher einige Zeit lang Forstgehilfe in den gewerkschaftlichen Waldungen gewesen, jetzt war er's nicht mehr, wohnte mit seiner Familie in einer Hütte drüben in der Fischbacher Gegend, man wußte nicht recht, was er trieb. Nun ging er nach Hause. Er hatte einen Korb auf dem Rücken, an dem er nicht schwer zu tragen schien, sein Gewand war noch ein jägermäßiges, aber hübsch abgetragen, und sein schwarzer Vollbart ließ nicht viel sehen von seinem etwas fahlen Gesichte. Als ich ihn bemerkt hatte, nahm er die Pfeife aus dem Munde, lachte laut und sagte: »Wo schiebst denn hin, Bub?«

»Heim zu«, meine Antwort.

»Was schleppst denn?«

»Sachen für den Christtag.«

»Gute Sachen? Der Tausend sapperment! Wem gehörst denn zu?« – »Dem Waldbauer.«

»Zum Waldbauer willst gar hinauf! Da mußt gut antauchen.«

»Tu's schon«, sagte ich und tauchte an.

»Nach einem solchen Marsch wirst gut schlafen bei der Nacht«, versetzte der Kilian, mit mir gleichen Schritt haltend.

»Heut wird nicht geschlafen bei der Nacht, heut ist Christnacht.«

»Was willst denn sonst tun, als schlafen bei der Nacht?«

»Nach Kathrein in die Mette gehen.«

»Nach Kathrein?« fragte er, »den weiten Weg?«

»Um zehn Uhr abends gehen wir von Haus fort, und um drei Uhr früh sind wir wieder daheim.«

Der Kilian biß in sein Pfeifenrohr und sagte: »Na, hörst du, da gehört viel Christentum dazu. Beim Tag ins Mürztal und bei der Nacht in die Mette nach Kathrein! So viel Christentum hab' ich nicht, aber das sage ich dir doch: Wenn du ein Bündel in meinen Buckelkorb tun willst, daß ich es dir eine Zeitlang trag und du dich ausrasten kannst, so hast ganz recht, warum soll der alte Esel nicht auch einmal tragen!«

Damit war ich einverstanden, und während mein Bündel in seinen Korb sank, dachte ich: Der grüne Kilian ist halt doch ein besserer Mensch, als man sagt.

Dann rückten wir wieder an, ich huschte frei und leicht neben ihm her.

»Ja, ja, die Weihnachten!« sagte der Kilian fauchend, »da geht's halt drunter und drüber. Da reden sich die Leut' in eine Aufregung und Frömmigkeit hinein, die gar nicht wahr ist. Im Grund ist der Christtag wie jeder andere Tag, nicht einen Knopf anders. Der Reiche, ja, der hat jeden Tag Christtag, unsereiner hat jeden Tag Karfreitag.«

»Der Karfreitag ist auch schön«, war meine Meinung.

»Ja, wer genug Fische und Butter und Eier und Kuchen und Krapfen hat zum Fasten!« lachte der Kilian.

Mir kam sein Reden etwas heidentümlich vor. Doch was er noch weiteres sagte, das verstand ich nicht mehr, denn er hatte angefangen, sehr heftig zu gehen, und ich konnte nicht recht nachkommen. Ich rutschte auf dem glitschigen Schnee mit jedem Schritt ein Stückchen zurück, der Kilian hatte Fußeisen angeschnallt, hatte lange Beine, war nicht abgemattet – da ging's freilich voran.

»Herr Kilian!« rief ich.

Er hörte es nicht. Der Abstand zwischen uns wurde immer größer, bei Wegbiegungen entschwand er mir manchmal ganz aus den Augen, um nachher wieder in größerer Entfernung, halb schon von Nebeldämmerung verhüllt, aufzutauchen. Jetzt wurde mir bang um mein Bündel. Kamen wir ja doch schon dem Höllkogel nahe. Das ist jene Stelle, wo der Weg nach Alpel und der Weg nach Fischbach sich gabeln. Ich hub an zu laufen; im Angesichte der Gefahr war alle Müdigkeit dahin, ich lief wie ein Hündlein und kam ihm näher. Was wollte ich aber anfangen, wenn ich ihn eingeholt hätte, wenn ihm der Wille fehlte, die Sachen herzugeben, und mir die Kraft, sie zu nehmen? Das kann ein schönes Ende werden mit diesem Tage, denn die Sachen lasse ich nicht im Stich, und sollte ich ihm nachlaufen müssen bis hinter den Fischbacher Wald zu seiner Hütte!

Als wir denn beide so merkwürdig schnell vorwärts kamen, holten wir ein Schlittengespann ein, das vor uns mit zwei grauen Ochsen und einem schwarzen Kohlenführer langsam des Weges schliff. Der Grabler Hansel. Mein grüner Kilian wollte schon an dem Gespann vorüberhuschen, da schrie ich von hinten her aus Leibeskräften: »Hansel! Hansel! Sei so gut, leg mir meine Christtagsachen auf den Schlitten, der Kilian hat sie im Korb, und er soll sie dir geben!«

Mein Geschrei muß wohl sehr angstvoll gewesen sein, denn der Hansel sprang sofort von seinem Schlitten und nahm eine tatbereite Haltung ein. Und wie der Kilian merkte, ich hätte hier einen Bundesgenossen, riß er sich den Korb vom Rücken und schleuderte das Bündel auf den Schlitten. Noch knirschte er etwas von »dummen Bären« und »Undankbarkeit«, dann war er aber auch schon davon.

Der Hansel rückte das Bündel zurecht und fragte, ob man sich draufsetzen dürfe. Das, bat ich, nicht zu tun.

So tat er's auch nicht, wir setzten uns hübsch nebeneinander auf den Schlitten, und ich hielt auf dem Schoß sorgfältig mit beiden Händen die Sachen für den Christtag. So kamen wir endlich nach Alpel. Als wir zur ersten Fresenbrücke gekommen waren, sagte der Hansel zu den Ochsen: »Oha!« und zu mir: »So!« Die Ochsen verstanden und blieben stehen, ich verstand nicht und blieb sitzen. Aber nicht mehr lange, es war ja zum Aussteigen, denn der Hansel mußte links in den Graben hinein und ich rechts den Berg hinauf.

»Dank dir's Gott, Hansel!«

»Ist schon gut, Peterl.«

Zur Zeit, da ich mit meiner Last den steilen Berg hinanstieg gegen mein Vaterhaus, begann es zu dämmern und zu schneien. Und zuletzt war ich doch daheim.

»Hast alles?« fragte die Mutter am Kochherd mir entgegen.

»Alles!«

»Brav bist. Und hungrig wirst sein.«

Beides ließ ich gelten. Sogleich zog die Mutter mir die klingenhart gefrorenen Schuhe von den Füßen, denn ich wollte, daß sie frisch eingefettet würden für den nächtlichen Mettengang. Dann setzte ich mich in der warmen Stube zum Essen.

Aber siehe, während des Essens geht es zu Ende mit meiner Erinnerung. – Als ich wieder zu mir kam, lag ich wohlausgeschlafen in meinem warmen Bette, und zum kleinen Fenster herein schien die Morgensonne des Christtages.

Rudolf B. Binding
Das Peitschchen

ls das Jesuskind durch Flandern zog – und es kannte wohl die ganze Welt – kam es mitsamt seiner Mutter in der großen Stadt Gent am Morgen eines Weihnachtstages an. Die ganze Stadt war für das Fest gerüstet. Auf den Straßen drängten sich die Menschen, um auf den Märkten und in den Läden die neuesten und letzten Herrlichkeiten zu erwischen, mit denen sie ihren Angehörigen und ihrem Gesinde am Abend eine Freude machen könnten. Vor der großen Kirche St. Baafs, die wie ein gewaltiger grauer Magnetberg über die Stadt und die Menschen emporragte, die Häuser um sich versammelt hielt und die Menschenströme in sich hineinzog, war ein Weihnachtsmarkt errichtet, und die Pfefferkuchenstände, die Buden mit bunten Likören, mit Christbaumschmuck und Kerzen, mit Zinnsoldaten und Zinnlöffeln, mit Pfeifen, Trompeten und allerhand Kinderspielzeug standen hübsch in Reihen geordnet und einträchtig nebeneinander. Da es noch früh am dämmrigen Morgen war, die Leute vom Lande jedoch, um nichts zu versäumen und einen möglichst langen Tag des Betrachtens und Auswählens vor sich zu haben, schon in die Stadt hereinwogten, brannten in allen Ständen über den Auslagen die Lampen, und die Verkäufer brachten die erste Ordnung in ihre Sachen, die der vorangegangene Tag etwas in Unordnung gebracht hatte. Gerade am Zugang zum Hauptportal der Kirche behauptete ein großer Spielwarenstand seinen Platz. Da waren Trommeln und Trompeten, Reifen und Kreisel, bunte Glasklicker, Puppen und

Kegel, kleine Männchen, die in Glasröhren in einer rosa Flüssigkeit auf- und niederstiegen, wenn man die Röhre in die Hand nahm, Mundharmonikas und winzige Drehorgeln, die das »Ehre sei Gott in der Höh'« in kleinen Tönen von sich gaben, wenn man leise die Kurbel drehte. Und gerade hing eine Magd ein buntes Gedränge von blauen, roten und grünen Luftballons, alle eben neu mit Gas gefüllt und prall, daß sie knirschten, wenn sie aneinanderstießen, an der Ecke der Bude auf, und darunter hing sie ein ganzes Bündel kleiner Peitschen mit geflochtenen Schnüren aus weißem zarten Leder, gelben Schmitzchen und bunten Stielen. Jeder Stiel endete in ein rotes Pfeifchen aus Kirschenholz. Im Hintergrund der Bude aber hinter den langen Brettern und Tischen, auf denen alle die schönen Sachen ausgelegt waren, standen drei Kinder, so blond und auch wohl so alt wie ihr, denen diese Geschichte erzählt wird. Ihre Mutter war die Eigentümerin des Spielwarenstandes. Da sie zu so früher Stunde nicht auf Käufer hoffen konnte, war sie noch nicht zur Stelle, sondern hatte es der Magd überlassen die Auslage zu besorgen; und diese hatte die Kinder mitgenommen. Da standen sie nun, und während sie teilnahmsvoll und neugierig guckten, wie die Magd immer neue Reichtümer und Herrlichkeiten auspackte und zum Verkauf ordnete, begannen in ihren Herzen Wünsche hin und her zu jagen, begehrliche und vergleichende Gedanken hin und her zu wogen und süße Qualen auf und ab zu ziehen; welcher Gegenstand von allen ihnen wohl am besten gefiele, damit sie ihn sich von ihrer Mutter selbst als Weihnachtsgabe ausbitten könnten. Denn das wußten sie vom letzten Jahr und gedachten es auch diesmal dahin zu bringen, daß ihre Mutter jedem von ihnen erlaubte, sich aus der Fülle der Dinge etwas herauszuwünschen. »Wenn es am Abend nicht verkauft ist«, pflegte dann die Mutter zu sagen; denn der geringe Erlös aus dem Spielzeug ließ es nicht zu, daß sie die Dinge von vornherein für sie bereitstellte. Und dann zitterten die Kinder den ganzen Tag um den gewünschten Gegenstand, und jedesmal, wenn ein Käufer herantrat, stieg ihnen das Blut zu Kopf, und sie fühlten ihr Herz schlagen. Ging er dann weg ohne, wie sie meinten, ihren Gegenstand entdeckt zu haben, waren sie glücklich. Aber beim nächsten wiederholte sich die Pein.

»Das vorige Jahr hatte ich mir eine Puppe gewünscht«, sagte das eine Mädchen, »aber nach wenigen Tagen zerbrach sie. Ich wünsche mir etwas anderes diesmal.« Dann trat wieder Schweigen und Überlegen ein. Keines wollte sich verraten. »Eigentlich wäre ein Kreisel sehr schön«, sagte das ältere Mädchen, »er zerbricht nicht. Ich sehe Dinge gern, die tanzen und sich drehen.« Alle drei guckten nach einem großen Haufen buntbemalter harter Kreisel, die eben aus einem Sack hüpften, den die Magd auf den Tisch stülpte. – »Ich wünsche mir einen Kreisel und ein Peitschchen dazu«, sagte die Älteste, die mit sich im reinen war.

Die andern fanden die Idee auf einmal herrlich.

»Ich wünsche mir auch einen Kreisel und ein Peitschchen«, sagte das zweite Mädchen, als ob sie nicht gesonnen wäre zurückzustehen.

»Ich auch«, sagte der Junge, dem es genug war, daß die älteren Schwestern entschieden hatten. Und alle drei guckten eifrig und prüfend nach dem Haufen Kreisel auf dem Tisch und nach dem Bündel Peitschchen, das von der Ecke der Bude herabhing.

»Während der Kreisel Schwung hat und sich dreht, kann man pfeifen«, bemerkte der Junge und fand dies sehr beachtlich. Das Pfeifchen am Peitschenstiel mußte doch seinen Sinn haben. »Und dann versetzt man dem Kreisel wieder einen. Und dann pfeift man wieder.«

»Wer am besten kreiseln kann, kann am besten pfeifen«, sagte die Älteste.

»Wenn wir alle drei zugleich pfeifen–!« Dies sagte die Jüngere, sah mit großen Augen in die Ferne und hatte offenbar eine wundervolle Erscheinung.

Während sie so schwatzten, kam inmitten der Menge des Volkes, das der Kirche zuströmte, das Jesuskind daher. Es war damals schon größer und saß rittlings auf dem treuen Esel, der von den vielen Fahrten – nach Ägypten und in aller Welt umher – nicht mehr ganz frisch war und mit kleinen andächtigen Schritten in der Menge trippelte. Dem Jesusknaben ging das zu langsam. Vergebens zauste er das Eseltier mit seinen kleinen Händen im zottigen Fell, stieß es mit den Beinchen in die Seiten oder suchte es durch kleine Zurufe zu ermuntern. Der Esel blieb in seinem Gang, und die Jungfrau Maria, die lächelnd hinter ihrem Kinde schritt, trieb ihn nicht an.

Wie sie nun in diesem Aufzuge, oftmals gehemmt durch ein sanftes Stehenbleiben des Tieres, vor dem Spielwarenstande anlangten, gewahrte Jesus an der Ecke das Bündel Peitschchen, ergriff, indem er seinen Esel darunter hinwegtrieb, als rechter Herr der Welt eines am Stiel und zog es ohne viel zu fragen aus der Schlinge, in der es mit seinen Kameraden aufgehangen war. Dann schwang er es lustig über seinem Reittier.

»Halt! Nicht!« rief die Magd, und auch die Kinder wollten Halt! Nicht! rufen und krausten die Gesichter. Aber sie brachten keinen Ton aus den Kehlen. Das Jesuskind blickte sie nur aus seinen unergründlichen Augen einmal freundlich und sieghaft an. Da war es, als ob es um sie geschehen wäre. Der Atem stockte ihnen, alle drei griffen nach einander, als müßten sie sich an etwas festhalten, und in einer süßen Bangigkeit der Herzen folgten sie mit den Augen dem wundersamen Knaben, der sie mit einem einzigen Blick in seinen Bann getan hatte, wie sie wohl selbst ein paar Wasserkäfer in ein Glas steckten.

»Wer ist denn das?« fragten sie einander leise, ohne sich anzusehen. Und als nun gar noch eine überirdische hohe Frau an ihnen vorüberzog und sie mit einem seltsamen fremden Gruß zu streifen schien und es ihnen so ganz weihnachtlich zumute wurde, da sagte die Älteste vorsichtig:

»Es könnte beinahe das Christkind gewesen sein!«

»Was du immer hast!« sagte die Jüngere und war dabei froh, daß ihr die Schwester eine plausible Erklärung für den Zustand ihrer Sinne unter den Fuß gegeben hatte; »natürlich war es das Christkind! Einem andern Kind hätten wir das Peitschchen doch gar nicht gelassen.«

»Welches war das Christkind?« fragte der Junge, der sich selbst noch nicht begriff. »Wenn ihr es gesehen habt, will ich es auch gesehen haben.«

»Das auf dem Esel«, sagten die beiden andern nun sehr bestimmt, da sie ihren Vorsprung fühlten. »Das auf dem Esel? Ja!« sagte der Knabe. »Wenn es nicht das Christkind gewesen wäre, hätte es ja auch das Peitschchen gar nicht nehmen dürfen.«

»Besonders hätten wir aber doch einem andern Kind das Peitschchen gar nicht gelassen«, sagte das zweite Mädchen wieder. »Und wir mußten es ihm doch lassen.«

In diesen Worten fanden die Kinder eine vollkommene Sicherheit, und alle drei waren so gewiß, das Christkind von Angesicht zu Angesicht gesehen zu haben, wie es gewiß war, daß sie die Kinder ihrer Mutter waren. Und dann kam ihnen immer wieder der wundersame Blick des schönen Knaben, der Gruß der hochgewachsenen Frau wie in einem verklärten Schein zurück und erfüllten sie mit einer geheimnisvollen Erregung. Die Morgenglocken von St. Baafs erklangen feierlich über ihnen und der Weihnachtstag mit seinen Wundern zog herauf. Die Kinder hatten den Christusknaben gesehen, und wer es ihnen bestritten hätte, den hätten sie mitleidig ausgelacht.

Da kam die Mutter. »Mutter, wir haben das Christkind gesehen«, riefen sie alle drei. Aber es war ihnen gar nicht lieb, als ihre Mitteilung nicht recht verfing, die Mutter vielmehr nur belustigt schien und sagte: »So! Da habt ihr was Rechtes gesehn! Und was wünscht sich nun jedes zu Weihnachten?«

Daß das Christkind das Peitschchen genommen hat, sagen wir jetzt besser nicht, dachten die drei und antworteten lieber auf die Frage ihrer Mutter.

»Ich wünsche mir einen Kreisel und ein Peitschchen«, sagte die Älteste. »Und ich auch«, sagte die Jüngere. »Und ich auch«, der Junge.

»Wenn es am Abend nicht verkauft ist«, erwiderte die Mutter und betrat den Stand. Die Käufer drängten sich, der kurze Tag brach an, die Lampen wurden gelöscht, und auch für die Kinder verschwanden die Ereignisse des Morgens im Grau des Tageslichts und im Gesumme des geschäftigen Treibens auf dem großen Markt. Zudem begann die Qual der Erwartung sie zu bewegen und zu erfüllen, ob denn für jedes am Abend ein Kreisel und ein Peitschchen übrig sein werde. Und dies alles beschäftigte sie zu sehr, als daß sie an anderes hätten denken mögen. Jedesmal wenn ein Käufer herantrat und einen Kreisel oder ein Peitschchen verlangte, gab es in drei kleinen Herzen drei kleine Stiche, und wenn einer einen Kreisel mitsamt einem Peitschchen kaufte, waren die drei Stiche in den drei Herzen noch deutlicher fühlbar.

Aber ihre Qualen wurden immer größer und ihre Gesichter immer länger. Der hochgetürmte Haufen von Kreiseln nahm reißend ab, und das dicke Bündel Peitschchen wurde schmächtig und schmächtiger. Noch einmal schüttete die Magd einen Sack Kreisel auf den Tisch, und noch ein Bündel Peitschchen wurde an der Ecke der Bude aufgehangen. Dann war der Vorrat erschöpft. Die Kinder merkten gar nicht, daß auch die Puppen weniger wurden und die Trommeln und die Glasröhrchen mit den steigenden Männchen und die Spieldosen und die Bälle.

Als der Tag vorüber war und die Stände überall geschlossen wurden, war in dem ihren alles ausverkauft. Nur drei Kreisel, die ganz allein aus der Fülle der Dinge übriggeblieben waren, lagen verlassen an der Stelle, wo der Haufen gewesen war. Aber kein Peitschchen mehr war da, sie anzutreiben, und so schienen sie völlig nutzlos und überflüssig.

Die Mutter überblickte ihren Stand, freute sich des flotten Geschäfts und guten Erlöses, den ihr der Tag gebracht, und hatte die Kinder ganz vergessen. Jetzt bemerkte sie sie wieder, wie sie traurig dasaßen und ihnen das Weinen nahe war.

»Nun? – Was ist?« fragte sie. Aber das war schon wie ein Stoß. Die Kinder brachen in helle Tränen aus, und schnelle Perlchen rollten unaufhaltsam über ihre Kittel.

»Nun haben wir kein einziges Peitschchen«, jammerten sie durcheinander; »was sollen uns jetzt die Kreisel!« Die Mutter rückte zwischen sie, wußte aber noch keinen Trost.

»Und das letzte Peitschchen hat uns das Christkind auch noch weggenommen«, klagte der Junge.

»Das Christkind – –?« fragte die Mutter.

In diesem Augenblick öffneten sich, langsam und weit, die Flügeltüren am Hauptportal von St. Baafs, was sonst nur bei den feierlichen Gelegenheiten geschah; denn die Menschen gingen seitlich durch zwei kleine Pforten ein und aus. Die Flügeltüren öffneten sich, und heraus trat die überirdische Frau, die in der Frühe die Kinder so seltsam gegrüßt hatte.

»Das ist sie, die mit dem Christkind war!« flüsterten die Kinder und krochen eng an ihre Mutter heran. Und während alle vier kein Auge von der Gestalt verwenden konnten, schritt diese ruhig auf den leeren Verkaufsstand zu, und der Weihnachtsschauer ging vor ihr her. Wieder wie am Morgen stockte den Kindern der Atem, wieder griffen sie nach einander, als müßten sie sich an etwas festhalten, und in einer süßen Bedrängnis der Herzen ergaben sie sich, daß ihnen etwas widerführe was ihnen nie wieder in ihrem Leben widerfahren würde. Die Frau aber trug das Peitschchen in der Hand, das Jesus in der Frühe aus dem Bündel an der Ecke der Bude herausgezogen hatte, reichte es mit einer unnachahmlichen Bewegung der Mutter hin und sprach:

»Dies Peitschchen gehört wohl in diesen Stand.«

Darauf streifte sie Mutter und Kinder mit ihrem Gruß, wendete sich und trat, wie sie gekommen, in die große Kirchentür zurück, deren Flügel sich hinter ihr schlossen.

Den Kindern war es eng und heiß und doch auch wieder weit und frei, und obzwar sie anfänglich etwas enttäuscht schienen wie über ein halbes Glück, ging ihnen doch bald der Sinn auf: daß sie nämlich nun gar kein Peitschchen hätten, weil es längst mit den andern verkauft worden wäre, wenn das Christkind ihnen nicht am Morgen dieses Tages eines weggenommen hätte. Da wurden ihre Augen hell, und sie sahen einander an.

Die Mutter küßte ihre Kinder. Wie auf Verabredung ergriff jedes einen der drei Kreisel, alle drei faßten das Peitschchen an, als ob es ein langer Spieß gewesen wäre, und so trugen sie ihre Geschenke in einem glücklichen kleinen Triumphzug nach Hause.

Mit dem Peitschchen hatte es aber eine besondere Bewandtnis. Denn obgleich ein Peitschchen für drei Kreisel und drei Kinder wirklich wenig schien, so entstand doch nie ein Streit darum. Es wurde den Kindern wie zu einem Wahrzeichen, daß Menschen alles miteinander teilen können.

Seit jener Zeit geht in Flandern eine Redeweise. Wenn mehrere so recht miteinander einig sind, sagt man wohl von ihnen: Ach, die! die haben ein Peitschchen miteinander.

Lucretia Peabody Hale
Der Weihnachtsbaum der Familie Peterkin

chon im Herbst begannen die Peterkins mit den Vorbereitungen für ihren Weihnachtsbaum. Alles wurde ganz im geheimen getan, denn es sollten ja nicht nur die Nachbarn, sondern auch die übrigen Familienmitglieder überrascht werden. Vater Peterkin begab sich in den Wald, der Bromwick gehörte, und suchte mit dessen Einwilligung die Tanne aus. Agamemnon ging bisweilen nach Einbruch der Dunkelheit hin, um sich den Baum anzusehen, und Salomon John besuchte ihn öfters am Morgen kurz nach Sonnenaufgang. Vater Peterkin fuhr Elizabeth Eliza und ihre Mutter in den Wald und deutete mit seiner Peitsche verstohlen darauf; aber keiner von ihnen sprach jemals ein Wort darüber. Man hegte den Verdacht, daß die kleinen Buben am Mittwoch- und Samstagnachmittag hingingen, um ihn zu betrachten. Aber wenn sie heimkamen, hatten sie die Taschen voller Kastanien und äußerten sich nicht weiter.

Schließlich ließ Vater Peterkin die Tanne fällen und in aller Heimlichkeit in Larkins' Scheune schaffen. Eine oder zwei Wochen vor Weihnachten wurde sie mit Elizabeth Elizas Zentimetermaß gemessen. Zu Peterkins großer Bestürzung stellte sich heraus, daß sie für den Salon zu hoch war.

Diese Tatsache wurde in einer Geheimsitzung zwischen Herrn und Frau Peterkin, Elizabeth Eliza und Agamemnon besprochen.

Agamemnon schlug vor, den Baum schräg aufzustellen; doch Mutter Peterkin war überzeugt, daß ihr dann schwindlig werden würde, und überhaupt würden die Kerzen tropfen.

Hingegen hatte Vater Peterkin einen glänzenden Einfall. Er machte den Vorschlag, die Zimmerdecke zu heben, um für die Baumspitze Platz zu schaffen.

Elizabeth Eliza meinte, es müsse ziemlich viel Platz geschaffen werden. Es dürfe nicht etwa wie ein Kästchen sein, sonst könne man den Baum nicht sehen.

»Ja«, stimmte Vater Peterkin zu, »ich werde wohl die Zimmerdecke querdurch heben lassen müssen, das ergibt eine schönere Wirkung.«

Elizabeth Eliza war dagegen, die ganze Decke zu heben, weil ihr Zimmer über dem Salon lag, und während des Umbaus hätte sie keinen Fußboden, und das wäre sehr unangenehm. Überdies war ihr Zimmer ohnehin nicht sehr hoch, und wenn der Fußboden gehoben wurde, konnte sie vielleicht nicht mehr aufrecht stehen.

Peterkin erklärte, er wolle nicht die ganze Decke ändern, sondern quer durchs Zimmer gewissermaßen eine Gasse schaffen, bis zu der Stelle im Hintergrund, wo der Baum stehen sollte. Dadurch würde natürlich in Elizabeth Elizas Zimmer eine Schwelle entstehen, jedoch quer durch den ganzen Raum.

Elizabeth Eliza sagte, dagegen habe sie nichts. Es wäre ähnlich wie eine Plicht, so ein Sitzraum in Segelbooten, nur werde sie hierbei nicht seekrank werden. Eigentlich gefiel ihr die Sache, weil es etwas Ausgefallenes war. Sie könne die Schwelle ja als Diwan benutzen.

Frau Peterkin vermutete, daß die Erhöhung mit der durchgescheuerten Teppichstelle zusammentreffen würde, und bei dieser Gelegenheit könnte man den Teppich ausbessern.

Agamemnon befürchtete, daß es schwer sein werde, die Sache geheimzuhalten, denn der Zimmermann würde wohl lange zu arbeiten haben.

Diesen Einwand entkräftete Vater Peterkin damit, daß er dem Zimmermann noch verschiedene andere Arbeiten übertragen wolle, so daß seine längere Anwesenheit nicht auffallen würde.

Unter anderm sollte er alle Stühle im Hause gleich hoch machen, denn Mutter Peterkin hatte sich beinahe das Rückgrat gebrochen, als sie sich auf einem Stuhl niederließ, den sie für ihren Schaukelstuhl gehalten hatte, und der fünf Zentimeter niedriger war. Die kleinen Buben waren jetzt groß genug, um sich auf jeden Stuhl setzen zu können; also einigte man sich auf ein Mittelmaß, das allen Familienmitgliedern gerecht wurde, und sämtliche Stühle sollten einheitlich dieselbe Höhe erhalten.

Doch als man sich mit dem Zimmermann beriet, war er dafür, den Baum unten zu verkürzen und so der Höhe des Salons anzupassen; er erhob Bedenken gegen eine so umständliche Veränderung wie das Heben der Decke. Aber Vater Peterkin hatte sein Herz an die Verbesserung gehängt und Elizabeth Eliza ihren Teppich schon vorsorglicherweise zerschnitten.

Also wurde die Schiebetür zwischen Salon und Eßzimmer abgeschlossen, und nahezu vierzehn Tage lang vor Weihnachten herrschte eine große Unordnung von heruntergefallenem Gips, Leisten, Splittern und Spänen; Elizabeth Elizas Teppich wurde zusammengerollt, die Möbel mußten umgestellt werden, und eine Nacht mußte sie bei der Familie Bromwick schlafen, weil ihr Fußboden eine lange Kluft hatte, die gefährlich war.

An all dem hatten die kleinen Buben ihre helle Freude. Sie begriffen nicht, was da vor sich ging. Vielleicht vermuteten sie einen Weihnachtsbaum, aber es war ihnen unverständlich, wieso ein Weihnachtsbaum so viele Späne und Schutt ergab, und noch mehr staunten sie über die Schwelle, die in Elizabeth Elizas Zimmer erschien. Darunter mußte wohl ein Weihnachtsgeschenk verborgen sein oder aber der Baum in einer Schachtel.

Ein paar Tage vor Weihnachten kamen auch einige Onkel und Tanten, die ihre Kinder mitbrachten. Diese kleinen Vettern lenkten die Buben ab, und es gab viel Geflüster und Geheimnistuerei hinter verschlossenen Türen, unter der Treppe und in den Winkeln der Diele. Salomon John war damit beschäftigt, im geheimen Kerzen für den Baum herzustellen. Er hatte Früchte der Wachsmyrthe gesammelt, weil er wußte, daß man daraus sehr hübsche Kerzen machen konnte, so daß man keine zu kaufen brauchte.

Die älteren Familienmitglieder gingen nie alle zusammen in den Salon, und alle gaben sich den Anschein, als sähen sie nicht, was dort vor sich ging. Frau Peterkin ging etwa mit Salomon John hinein, Herr Peterkin mit Elizabeth Eliza oder Elizabeth Eliza mit Agamemnon und Salomon John. Die kleinen Buben und die jungen Vettern durften nicht einmal einen Blick hineinwerfen.

Inzwischen begab sich Elizabeth Eliza ein paarmal in die Stadt. Sie holte sich Rat bei Amanda, wieviel Eiscreme sie benötigen würde und ob sie sie selbst machen könnte, da ihr ja Rahm und Eis zur Verfügung standen. In ihrem Zimmer hatte sie recht viel zu tun; sie mußte die Möbel umstellen und den Teppich ändern. Die Schwelle wurde höher, als sie erwartet hatte. Wenn sie darüber stieg, mußte sie immer achtgeben, um sich nicht den Kopf anzustoßen. Aus Furcht vor Unfällen nagelte sie eine Polsterung an die Decke.

Am Nachmittag vor Weihnachten versammelten sich Vater Peterkin, Elizabeth Eliza und Salomon John im

Salon zu einem Familienrat. Der Umbau war fertig; der Baum stand in voller Höhe hinten im Zimmer, und sein Wipfel ragte in die Vertiefung, die eigens dafür geschaffen worden war. Schutt und Späne waren weggeräumt, und er stand auf einer sauberen Kiste.

Wie aber sollte man den Baum schmücken?

Salomon John hatte seine Kerzen mitgebracht, doch es waren nur einige, und sie erwiesen sich als sehr klebrig. Sonderbar, wie viele Beeren man brauchte, um ein paar Kerzen zu ziehen! Beim Pflücken hatten ihm die kleinen Buben geholfen, und es war ein ganzer Scheffel gewesen. Er hatte die Beeren in Wasser gelegt und das Wachs vorschriftsmäßig abgeschöpft; aber es war so wenig Wachs!

Salomon John hatte den kleinen Buben einige abgesägte Stücke von den Stuhlbeinen gegeben und ihnen vorgeschlagen, sie mit Goldpapier zu überziehen – sie sollten als vergoldete Äpfel gelten –, ohne ihnen den Zweck zu verraten.

Diese etwas eckigen Äpfel und die Kerzen waren alles, was sie für den Baum hatten!

Auf allen ihren Ausflügen in die Stadt hatte Elizabeth Eliza vergessen, irgendwelchen Schmuck mitzubringen.

»Ich dachte an Bonbons und verzuckerte Pflaumen«, sagte sie, »aber dann meinte ich, wir brauchen sie nicht, wenn wir Karamellen selbst machen. Doch leider haben wir keine Karamellen gemacht. Ich hatte nämlich an dem Tag den Kopf voll von meinem Teppich. Außerdem hatte ich ihn mir tüchtig angeschlagen.«

Vater Peterkin wünschte, er hätte statt der Tanne einen Apfelbaum genommen, den er im Oktober voller roter Früchte gesehen hatte.

»Aber die Blätter wären längst abgefallen«, erwiderte Elizabeth Eliza.

»Auch die Äpfel«, fügte Salomon John hinzu.

»Merkwürdig, daß ich ganz vergessen habe, die Sachen zu besorgen, damals, als ich Einkäufe machte«, sagte Elizabeth Eliza sinnend. »Ich ging von Geschäft zu Geschäft, ohne recht zu wissen, was ich kaufen sollte. Ich sah viel goldenen Christbaumschmuck, aber ich wußte ja, daß die Buben die vergoldeten Äpfel machten; in den Läden gab es auch Unmengen von Kerzen, aber ich wußte ja, daß Salomon John für uns Kerzen zog.«

Vater Peterkin fand das durchaus natürlich.

Salomon John warf die Frage auf, ob es wohl schon zu spät sei, das Versäumte nachzuholen.

Elizabeth Eliza konnte am nächsten Tag nicht in die Stadt gehen, weil sie der Mutter bei den Vorbereitungen für das große Weihnachtsessen helfen mußte, und der Vater war ebensowenig abkömmlich. Salomon John war überzeugt, daß er und Agamemnon nicht wissen würden, was sie kaufen sollten. Außerdem wollten sie die Kerzen noch heute abend erproben.

Herr Peterkin schlug vor, den Baum mit den Geschenken zu schmücken; aber Elizabeth Eliza, die einigermaßen Bescheid wußte, wandte ein, sie seien viel zu schwer. Im Zimmer wurde es allmählich dunkel. Nur eine von Salomon Johns Kerzen, die er versuchsweise angezündet hatte, verbreitete einen kleinen flackernden Lichtschimmer. Schließlich war Salomon John doch dafür, in die Stadt zu fahren. Er zündete ein Streichholz an, um in der Zeitung die Züge nachzusehen. Zu dieser Stunde kamen viele Züge aus der Stadt an, doch es ging keiner ab, außer einem sehr späten.

»Wir könnten in die Stadt fahren, Elizabeth Eliza und ich«, meinte Salomon John, »aber wir hätten keine Zeit, irgend etwas zu kaufen, sondern müßten gleich wieder zurückfahren.«

Agamemnon wurde hereingerufen. Mutter Peterkin unterhielt sich im Wohnzimmer mit den Onkeln und Tanten. Agamemnon bedauerte, daß die Zeit nicht reichte, etwas mit elektrischen Lichtern zu basteln. Wenn sie wenigstens eine Karbidlampe hätten! Salomon Johns Kerze spuckte und ging aus.

In diesem Augenblick wurde laut an die Haustür geklopft. Die kleinen Buben und die jungen Vettern, die Onkel und Tanten und Mutter Peterkin eilten hin, um zu sehen, was da los war.

Die Onkel und Tanten dachten, es müsse irgendwo ein Brand ausgebrochen sein. Die Haustür wurde geöffnet, und da stand ein Mann, weiß von Flocken, denn es hatte zu schneien angefangen, und er schob eine große Kiste hinein. Da Frau Peterkin annahm, es handle sich um irgendwelche Einkäufe ihrer Tochter, ließ sie die Kiste in den Salon schaffen und rief ihre Gäste und die kleinen Buben schnell ins Wohnzimmer zurück. Die kleinen Buben und ihre Vettern waren überzeugt, den Weihnachtsmann gesehen zu haben.

Vater Peterkin zündete das Gaslicht an. Die Kiste war an Elizabeth Eliza adressiert. Sie kam von der Dame aus Philadelphia! Sie hatte Elizabeth Elizas Briefen entnommen, daß es einen Weihnachtsbaum geben solle, und die Kiste mit allem gefüllt, was man dazu brauchte.

Sie wurde sofort geöffnet. Da gab es glitzernde Anhängsel jeder Art, von vergoldeten Erbsenschoten bis zu Schmetterlingen mit Sprungfedern. Da gab es glänzende Fähnchen, Laternen, Vogelkäfige, Nester mit Vögeln, Obstkörbchen, vergoldete Äpfel und Weintrauben, und ganz zuunterst lagen eine große Schachtel Kerzen sowie eine Schachtel mit bunten Bonbons!

Elizabeth Eliza und Salomon John vermochten kaum die Freudenschreie zu unterdrücken. Die kleinen Buben und die Vettern klopften an die Schiebetür und fragten, ob etwas geschehen sei.

Hastig packten Vater Peterkin und die andern die Sachen aus und hängten sie an den Baum. Zuletzt steckten sie die Kerzen auf.

Als der Baum geschmückt war, sah er so herrlich aus, daß der Vater rief: »Wir wollen die Kerzen jetzt anzünden, alle Nachbarn einladen und schon heute abend Weihnachten feiern!«

So kam es, daß die Familie Peterkin ihren Christbaum einen Tag früher hatte und an Weihnachten ihre Nachbarn besuchen konnte.

Alexander Lernet-Holenia
Österreichische Weihnachtslegende

autlos fiel der Schnee vom Himmel. Er schwebte an den Kirchtürmen vorbei, er senkte sich auf die Dächer nieder und rieselte durch die kahlen Kronen der Bäume in den Parks, er häufte sich auf den Fenstersimsen und schönverzierten Portalen der Häuser in der oberösterreichischen Landeshauptstadt am Donaustrome, die man aber ganz allgemein, weil sie in ihrer gesamten Länge von einer Straßenbahn durchzogen war, nur noch Linz an der Tramway nannte; und die Unmengen weißer, wolliger Flocken dämpften das Quietschen des ebengenannten Volksverkehrsmittels und löschten auch die übrigen Geräusche der Straße so gut wie ganz aus. Schon dämmerte der Weihnachtsabend, doch immer noch saß Hofrat Feichtner in seinen Amtsräumen und versuchte, mit den Akten fertigzuwerden, die seinen Schreibtisch bedeckten. Mehrmals schon hatte der alte Amtsdiener Hemetsberger die Türe was weniges geöffnet, in den Raum geblickt und diskret gehüstelt, als habe er damit gleichsam fragen wollen, ob sich denn der hohe Vorgesetzte nicht endlich doch Ruhe gönnen werde. Der aber hatte nicht einmal etwas davon bemerkt. Denn der Hofrat galt für einen der pflichttreuesten Beamten, war er sich doch der außerordentlichen Verantwortung, die auf seinen Schultern ruhte, in jedem Augenblicke seiner langjährigen Dienstzeit voll bewußt gewesen, weswegen ihn denn das Ministerium zuletzt auch noch an die zwar nicht höchste, wohl aber – man konnte sie ruhig so nennen – wichtigste Stelle der Finanzverwaltung seines Bundeslandes gesetzt hatte.

Jedes Kind weiß, daß der Staat das Geld, welches er zum Wohle der Bevölkerung ausgibt, nicht ganz einfach bloß drucken kann – das würde ja ins Uferlose der zugegebenen Inflation statt bloß in den ruhigen Strom der ständig vertuschten Preissteigerung führen. Der Fiskus muß die Bevölkerung vielmehr veranlassen, daß sie selbst ihm das Geld zahle, welches er ihr dann wiedergibt. Aber zahlt denn die Bevölkerung auch wirklich? Zahlt sie zum mindesten so gern, so freudig, wie es dem guten Zweck entspricht, beziehungsweise entspräche, um dessentwillen sie sich ihrer Mittel begeben soll? Ach, oft genug zahlt sie trotz der segensreichen Erfindung des Proporzes an den Verwaltungsstellen, der allen Widerspruch unmöglich macht, trotz der koalitionistischen Regierungsform des Staates, welcher die Öffentlichkeit rekurs- und rettungslos ausgeliefert ist, überhaupt nicht, sie hinterzieht die Zahlungen, die sie leisten sollte, und der Staat mag zusehen, wie er, seinerseits, die vielen pensionsberechtigten Minister, die aufopferungsvollen Diplomaten, die ob ihrer Wichtigkeit steuerbefreiten Nationalräte und die dreihunderttausend Beamten bezahlt, die für die Verwaltung *unbedingt* nötig sind. Er muß sich selbst darum kümmern, wie er die vielen Arbeitslosen, die nur im Sommer, während der sogenannten Saison, Arbeit finden, weil sie sie ja zu keiner andern Zeit suchen, über den Winter bringt, und er hat sich auch ganz alleine den Kopf zu zerbrechen, woher er die Exportprämien für die darbende Industrie, die Subventionen für den hungernden Bauernstand nehmen soll. Damit der Staat aber um so gewisser in den Besitz der notwendigen Steuermittel gelange, hatte das Ministerium für Feichtner und eine Zahl seiner fähigsten Kollegen eigene Ämter gegründet, die der Verfolgung und Bestrafung säumiger

Zahler und Steuerhinterzieher dienten; und unter all diesen sogenannten Straffinanzämtern, deren es in jedem Bundesland eines gab, hatte sich das des Hofrats Feichtner bisher am meisten ausgezeichnet. Zwar war Feichtner nicht eigentlich aus dem Bundeslande gebürtig, das er nun betreute. Weil er sich jedoch auch schon früher so viele Verdienste erworben hatte und weil besonders verdienstvolle Österreicher, ganz im allgemeinen, zu Oberösterreichern ernannt zu werden pflegen, hatte man auch ihn zum Bewohner Oberösterreichs und der Landeshauptstadt obendrein gemacht und gleichsam honoris causa zur Leitung des Straffinanzamtes nach Linz berufen.

Aber freilich war sein Sieg über die Steuerunmoral des Landes ob der Enns keine ungetrübte Freude für ihn gewesen, er war vielmehr, wie jeder Sieg, teuer erkauft, denn die Stimmen mehrten sich, die da sagten, daß der Hofrat, aus allzu großem Pflichteifer, übers Ziel schieße und daß er, um das Unerlaubte zur Strecke zu bringen, auch selber Unerlaubtes tue, ja daß sogar das ganze Amt, dem er vorstehe, eigentlich verfassungswidrig sei und gar nicht existieren dürfe; und in der Tat hatte Feichtner, verblendet von seinem Pflichtgefühl, verpönte Fäden ins Ausland gesponnen, zum Beispiel nach Passau, wo er die Steuerfahndungsstelle veranlaßt hatte, die deutschen Finanzämter zu beschummeln und ihnen Auskünfte, die sie eigentlich gar nicht hätten geben dürfen, in betreff österreichischer Schwerverdiener in der Bundesrepublik zu entlocken, wofür er sie, wiederum, durch Indiskretionen über Deutsche, die in Österreich verdienten, schadlos hielt. Dies allerdings war ganz unzulässig, denn das sogenannte Rechtshilfeabkommen zwischen Deutschland und Österreich existierte damals noch nicht, und jeder Versuch, es dennoch zu praktizieren, entsprach – juristisch gesehen – bloß der Absicht, dem Unrecht zum Siege zu verhelfen.

Feichtner hielt derlei Überlegungen zwar für bloße Theorie, aber die von ihm Hineingelegten und Geschädigten hielten's für glatten Rechtsbruch, und der eigentliche Stein des Anstoßes auf Feichtners Via Triumphalis war ein gewisser Tratzler gewesen, ein Bauunternehmer, der sich, in völliger Verkennung der ethischen Hintergründe der hofrätlichen Tätigkeit, dagegen gewehrt, das heißt rekurriert hatte, hartnäckigerweise schon durch alle Instanzen gegangen war und dessen Beschwerde soeben beim Obersten Gerichtshof anhing.

Ein widerborstiger Bursche, dieser Tratzler! Er behauptete, daß Feichtner seine Tätigkeit eigentlich gar nicht oder wenigstens nicht nur im Interesse des Staates, sondern aus persönlichem Ehrgeiz ausübe, und er gehörte mit zu jenen Leuten, die der Meinung waren, daß Feichtners ganzes Amt im Grunde überhaupt nicht existieren dürfe. Was dann aber, wenn ihm der Oberste Gerichtshof am Ende rechtgab? Wer, zum Beispiel, würde denn dann noch denselben Herren vom Obersten Gerichtshof, die dem Kerl rechtgegeben hatten, ihr Gehalt zahlen! Aber daran dachten so leichtsinnige Menschen natürlich nicht. In schweren Sorgen stützte Feichtner sein Haupt in die Hände. Als er wieder aufblickte, dämmerte es bereits stark, und der Hofrat war schon im Begriffe, die Schreibtischlampe anzudrehen, als zu seinem Erstaunen, weil ungerufen, einer seiner Mitarbeiter, der Steueroberrevident Baumgartner, ins Zimmer trat.

»Ja?« sagte Feichtner. »Was gibt's?«

»Denken sich, Herr Hofrat«, sagte Baumgartner, und seine Stimme klang ein wenig anders als sonst, »denken sich nur...«

»Nun, was soll ich mir denn nur denken?« fragte Feichtner und faßte, ob dieser unziemlichen Aufforderung, den Untergebenen scharf ins Auge.

»Ich habe soeben etwas erlebt«, sagte Baumgartner, »das einen tiefen Eindruck auf mich gemacht hat.«

»Hören Sie, Herr Steueroberrevident«, sagte der Hofrat dienstlich, »wie reden Sie denn eigentlich mit mir? Haben Sie getrunken, oder was sonst sollte so tiefen Eindruck auf Sie gemacht haben? Sprechen Sie!«

»Herr Hofrat«, sagte Baumgartner, »ich komme soeben von einem dienstlichen Gange...«

»Einen außerdienstlichen, und obendrein während der Amtsstunden, hätte ich Ihnen auch nicht angeraten. Wohin aber haben Sie ihn getan, diesen Dienstgang?«

»Zum Bauunternehmer Tratzler«, platzte Baumgartner heraus, der sich sagte, daß es, wenn es schon gesagt sein müsse, am besten schnell gesagt sei.

»Was?« schrie Feichtner. »Bei diesem Kerl waren Sie? Bei diesem Rekursanmelder? Bei diesem Verbrecher, diesem Finanzfeind Nummer Eins?«

»Ja«, antwortete Baumgartner beschwichtigend, »aber was ich vorgefunden habe, war alles eher als ein Feind unserer Finanzen. Denn ich habe den Herrn, bei dem ich zu einem Zeitpunkte, wo er am wenigsten darauf gefaßt war, nämlich am Heiligen Abend, eine Hausdurchsuchung vornehmen wollte, im Kreise seiner vielen Kinder vorgefunden – Herr Hofrat wissen ja aus dem Akt, daß er nicht nur verheiratet war, sondern auch verwitwet und, samt den Kindern, durch unsere Maßnahmen in bittere Armut gestürzt worden ist...«

»In wohlverdiente Armut, meinen Sie wohl, Herr Oberrevident!«

»Gewiß«, beeilte sich Baumgartner zu versichern, »das hatte ich in der Tat sagen wollen. Aber der Anblick des Wittibers und der Halbwaisen hat mir dennoch so sehr ans Herz gegriffen, daß ich die Armut des Unglücklichen nur noch als bitter bezeichnen kann. Die Tratzlers nämlich, in ihrer ungeheizten Stube, bereiteten sich darauf vor, den Heiligen Abend zu feiern, soferne man's noch ein Feiern nennen konnte, sie zündeten ein paar dünne Kerzen auf einem erbärmlichen Baum an, unter welchem keinerlei Gaben lagen, und sie vermochten auch keinen Plattenspieler laufen zu lassen, der ihnen das Weihnachtslied vorgespielt hätte, denn wir haben ihnen denselben ja weggepfändet. Es blieb ihnen also nichts weiter übrig, als bloß zu beten.«

»Zu beten?« erstaunte sich der Hofrat.

»Jawohl, zu beten«, sagte Baumgartner. »Und wissen Sie, wen sie in ihr Gebet eingeschlossen haben, Herr Hofrat?«

»Nun, wen denn?« fragte, auf einmal schon ziemlich unsicher, der Hofrat.

»Sie, Herr Hofrat!« stieß Baumgartner hervor und brach, vor Rührung, in Tränen aus. »Sie selbst, der Sie doch der ärgste Feind jener Armen sind ...«

Und er mußte sich abwenden, denn ein Schluchzen erstickte seine Worte.

Feichtner starrte ihn an, und die Stille, die entstand, war nur vom Schluchzen des Oberrevidenten unterbrochen. Dann senkte der Hofrat das Gesicht, fast schuldbewußt, auf die Hände.

»Hören Sie, Baumgartner«, sagte er schließlich und ließ die Hände wieder sinken, »wenn die Leute wirklich, wie Sie sagen, für mich gebetet haben, so wollen wir... ich meine, dann könnten wir doch, wenigstens dieses eine Mal, Nachsicht üben und ...«

Dabei unterbrach er sich und hob den Kopf, um Baumgartners Blick, in stillem Einverständnis, zu suchen. Aber da war, zu seinem Erstaunen, Baumgartner nicht mehr im Zimmer. Weder hatte der Hofrat die Tür gehen hören, noch vernahm er auch nur noch das mindeste vom Weinen des Untergebenen. Völlige Dämmerung herrschte im Raum, und der Hofrat hatte den Eindruck, einer Art von Vision erlegen zu sein.

Er rief sogleich den Oberrevidenten an.

»Baumgartner«, fragte er, »waren Sie soeben bei mir?«

»Nein, Herr Hofrat«, vernahm er Baumgartners Stimme.

»Ich habe aber den Eindruck gehabt, Baumgartner, daß Sie bei mir eingetreten wären und mir eine sehr, sehr rührende Geschichte erzählt hätten.«

»Um Gottes willen«, sagte Baumgartner, »Herr Hofrat werden doch nicht etwa während der Amtsstunden geschlafen ... du lieber Himmel, ich meine: der wohlverdienten Ruhe gepflogen und einen so ungereimten Traum gehabt haben!«

Feichtner antwortete nicht sogleich. Nach einigen Momenten aber sagte er: »Sie können jetzt Schluß machen und heimgehen, Baumgartner; und Ihnen und den Ihren wünsche ich recht frohe und gesegnete Weihnachten!«

»Aber Herr Hofrat!« stotterte Baumgartner fassungslos.

»Is gut, Baumgartner«, sagte der Hofrat und legte auf. Dann, nach einem weiteren Augenblick, hob er nochmals ab und verlangte Wien, Bundesministerium für Finanzen, Sektionschef Dr. Wolkowsky.

»Wolkowsky«, meldete sich eine Stimme nach kurzer Zeit.

»Hier spricht Feichtner«, sagte der Hofrat. »Ich wollte ...«

»Wie seltsam!« sagte Wolkowsky. »Wie seltsam, daß Sie mich zu sprechen wünschen, Herr Kollege! Denn auch ich selbst wollte Sie soeben anrufen, um Ihnen eine – leider – recht unangenehme Mitteilung zu machen. Jener Bauunternehmer Tratzler nämlich, der sich Ihnen so sehr widersetzt und bis zum Obersten Gerichtshof rekurriert hat, hat unbegreiflicherweise recht bekommen. Ihr Amt, Herr Kollege, ist für verfassungswidrig erklärt worden, und unser Bundesminister, der, statt auf wohlverdienten Skiurlaub zu fahren, in Wien geblieben ist, um, in ständigem Kontakt mit der Nationalbank, der Herstellung der neuen Tausendschillingnoten seine besondere Aufmerksamkeit zu widmen, hat mich beauftragt, Ihnen mitzuteilen, daß er Ihr Amt auflösen muß. Eine schöne Bescherung, nicht wahr, um selbst an diesem so verpatzten Weihnachtsabend noch im einschlägigen Stile zu sprechen ...«

»In der Tat eine schöne Bescherung«, antwortete Feichtner nach einem Augenblick. »Denn ob Sie mir nun glauben oder nicht, Herr Sektionschef, ich selbst war soeben im Begriff, die Auflösung meines Amtes vom Ministerium zu erbitten ...«

»Aber wieso denn, Herr Kollege?« hörte Feichtner den Sektionschef fragen. »Aus welchem Grunde wollten Sie denn das tun?«

»Am Telephon«, sagte Feichtner, »würde eine ausführliche Erklärung wohl zu weit führen. Ich möchte also nur so viel sagen, daß mein Amt eigentlich doch eine recht unklare Geschichte gewesen und durchaus im Gegensatze zum lapidaren Ausspruch unseres Ministers gestanden ist, der da erklärt hat: Ohne Steuerklarheit und Steuergerechtigkeit keine Steuermoral. Und dann ist mir auch eben vorhin mein Steueroberrevident Baumgartner visionär erschienen und hat mir die Fragwürdigkeit meines Tuns so recht vor Augen geführt... Kurzum, Herr Sektionschef, ich bin *wirklich* froh, daß ich, sozusagen, nicht mehr existiere. Darf ich aber, abschließend, Ihnen, Herr Sektionschef, und dem Herrn Bundesminister noch ein recht frohes Weihnachtsfest wünschen!«

Es entstand eine Stille im Apparat, während welcher man den Sektionschef am andern Ende der Leitung in der

Himmelpfortgasse sozusagen vor Verwunderung den Kopf schütteln hörte. Vielleicht, dachte Wolkowsky, ist er, vor Schmerz über die Auflösung seines Amtes, um den Verstand gekommen. Dann sagte er: »Wir werden aber mit der offiziellen Bekanntgabe der nun notwendig gewordenen Maßnahmen natürlich noch eine ganze Zeit warten. Vielleicht können Sie inzwischen noch viel Segensreiches stiften...«

»Halten Sie das, wie Sie wollen, Herr Sektionschef«, sagte Feichtner, worauf er den Sektionschef verärgert »Fröhliche Weihnachten!« sagen und den Hörer auflegen hörte; und dann legte auch Feichtner selbst auf.

Er tat es mit einem seltsamen Lächeln, das man aber der Dunkelheit wegen, die inzwischen fast vollkommen herabgesunken war, mehr erraten als wirklich sehen konnte. Auch drehte er das Licht nicht an, sondern schritt im Finstern aus dem Raume. Im Vorzimmer ergriff er Hut und Mantel, und leise, fast wie ein Dieb, schlich er an Hemetsbergers Portierloge vorbei und verließ das liquidierte Amt. Immer noch fiel der Schnee in weichen, lautlosen Flocken auf Linz an der Tramway, wie mit weißer Watte bedeckt schimmerten die Straßen im Licht der Laternen, in allen Häusern fing man an, die Christbäume anzuzünden, und die Radios spielten: Stille Nacht, heilige Nacht. Ganz anders als sonst, ergriffen und doch zugleich auch unbeschwert wie noch nie schritt Feichtner durch den Schnee, um sich nach Hause zu begeben und für die Einladung anzukleiden, die der Landeshauptmann, wie alljährlich, auch an diesem Abend den pflichttreuesten und redlichsten Beamten gab.

Im Herzen aber hatte der Hofrat den Frieden.

Astrid Lindgren
Pelle zieht aus

elle ist böse. Er ist in einem solchen Grade böse, daß er beschlossen hat, von zu Hause wegzuziehen. Man *kann* einfach nicht weiter bei einer Familie wohnen, wo man in dieser Weise behandelt wird.

Das war morgens, als Papa ins Büro gehen wollte und seinen Füllfederhalter nicht finden konnte.

»Pelle, hast du schon wieder meinen Füllfederhalter genommen?« fragte Papa und packte Pelle hart am Arm.

Pelle hatte schon manchmal Papas Füller ausgeliehen. Aber nicht heute. Heute steckte der Füller in Papas brauner Jacke, die im Schrank hing. Pelle war vollkommen unschuldig. Und Papa, der ihn so hart am Arm gepackt hatte? Und Mama? Sie hielt selbstverständlich zu Papa. Das hört jetzt aber auf! Pelle hatte die Absicht umzuziehen.

Aber wohin? Er kann zur See gehen. Das kann er. Auf das Meer, wo die großen Schiffe und die großen Wellen sind. Dort kann man sterben. Dann können die zu Hause aber jammern. Er kann auch nach Afrika fahren, wo wilde Löwen umherlaufen. Wenn Papa dann aus dem Büro nach Hause kommt und wie immer fragt: »Wo ist mein kleiner Pelle?«, dann weint Mama und sagt: »Pelle ist von einem Löwen aufgefressen worden.«

Ja, ja, so geht es, wenn man ungerecht ist!

Aber Afrika ist so weit fort. Pelle würde gern etwas mehr in der Nähe bleiben, damit er sehen könnte, wie Papa und Mama nach ihm weinen.

Pelle beschließt deshalb, nach »Herzhausen« zu ziehen. Herzhausen – so nennen sie das kleine rote Häuschen unten im Hof mit dem Herzen in der Tür. Dort wird er hinziehen. Er fängt sofort an zu packen, seinen Ball, seine Mundharmonika und »Max und Moritz«. Und dann ein Licht. Ja, in zwei Tagen ist doch Weihnachten. Pelle will in Herzhausen Weihnachten feiern. Da will er dann sein kleines Licht anzünden, dort sitzen und »O du fröhliche, o du selige« auf der Mundharmonika spielen. Das wird sehr traurig klingen, und man wird es bis hinauf zu Mama und Papa hören können.

Pelle zieht sich seinen feinen, hellblauen Mantel und die Handschuhe an und setzt die Ledermütze auf. Er nimmt die große Papiertüte mit dem Ball und der Mundharmonika und dem Licht in die eine Hand und »Max und Moritz« in die andere.

Und dann geht er direkt durch die Küche, damit Mama sehen kann, daß er jetzt umzieht.

»Aber Pelle, willst du schon ausgehen?« fragt Mama.

Pelle antwortet nicht. Ausgehen, ha! Sie sollte nur wissen!

Mama sieht, daß Pelle eine tiefe Falte auf der Stirn hat und daß seine Augen so dunkel sind.

»Pelle, Liebling, was hast du, wo willst du hin?«

»Ich ziehe um!«

»Wohin denn?« fragt Mama.

»Nach Herzhausen«, sagt Pelle.

»Pelle, das kann doch nicht dein Ernst sein! Wie lange willst du dort wohnen?«

»Immer«, sagt Pelle und legt die Hand auf den Türgriff. »Dann kann Papa ja jemand anders beschuldigen, wenn sein alter Füllfederhalter wegkommt.«

»Lieber, guter Pelle«, sagt Mama und schlingt die Arme um ihn. »Willst du nicht doch bei uns bleiben? Wir tun dir vielleicht manchmal unrecht, aber wir lieben dich doch so sehr – so sehr.«

Pelle zögert. Aber nur einen Augenblick. Er schiebt Mamas Arm beiseite, wirft ihr einen letzten vorwurfsvollen Blick zu und wandert davon. Mama steht am Eßzimmerfenster und sieht, wie eine kleine hellblaue Gestalt hinter der Tür mit dem Herzen verschwindet. Eine halbe Stunde vergeht. Dann hört Mama einige schwache Mundharmonikatöne, die von Herzhausen herüberklingen. Es ist Pelle, er spielt »Nun ade, du mein lieb Heimatland«.

Herzhausen ist ein richtig gemütlicher Ort, findet Pelle. Für den Anfang jedenfalls. »Max und Moritz« und den Ball und die Mundharmonika hat er so heimelig wie möglich aufgestellt. Und in das Fenster hat er das kleine Licht gesetzt. Wie traurig wird es dort stehen und am Weihnachtsabend leuchten, falls Papa und Mama zu ihm heruntersehen. Aus dem Eßzimmerfenster.

Am Eßzimmerfenster steht immer der Weihnachtsbaum. Der Weihnachtsbaum, ach ja. Und – und – die Weihnachtsgeschenke. Pelle schluckt. Nein, er hat nicht die Absicht, irgendwelche Weihnachtsgeschenke von Leuten anzunehmen, die behaupten, daß er Füllfederhalter stiehlt.

Noch einmal spielt er »Nun ade, du mein lieb Heimatland«. Lang, sehr lang wird die Zeit in Herzhausen. Was mag Mama jetzt machen? Papa muß inzwischen auch schon nach Hause gekommen sein. Pelle würde so gern in die Wohnung hinaufgehen und sehen, ob sie sehr weinen. Aber es ist schwer, einen Grund dafür zu finden.

Dann hat er einen Einfall. Er öffnet rasch den Riegel an der Tür und geht, nein, springt beinahe über den Hof und die Treppen hinauf. Mama ist in der Küche.

»Mama«, sagt Pelle, »wenn für mich vielleicht Weihnachtspostkarten ankommen sollten, willst du dann wohl dem Briefträger sagen, daß ich umgezogen bin?«

Mama verspricht, es zu tun. Pelle geht zögernd wieder zur Tür. Die Füße sind ihm wie Blei.

»Pelle«, sagt Mama mit ihrer weichen Stimme. »Pelle – aber was tun wir mit deinen Weihnachtsgeschenken? Sollen wir die nach Herzhausen hinunterschicken, oder kommst du herauf und holst sie?«

»Ich will keine Weihnachtsgeschenke haben«, sagt Pelle mit harter Stimme.

»Aber Pelle«, sagt Mama. »Das wird ja ein schrecklicher Weihnachtsabend. Kein Pelle, der die Kerzen am Tannenbaum anzündet, kein Pelle, der dem Weihnachtsmann die Tür aufmacht... Alles, alles ohne Pelle...«

»Ihr könnt euch ja einen anderen Jungen anschaffen«, sagt Pelle mit zitternder Stimme.

»Nie im Leben!« ruft Mama. »Pelle oder keinen! Es ist immer, immer nur unser Pelle, den wir so liebhaben.«

»Ach so«, sagt Pelle mit noch mehr Zittern in der Stimme.

»Papa und ich, wir werden hier herumsitzen und den ganzen Weihnachtsabend weinen. Wir werden nicht einmal die Lichter anzünden. Wir werden nur weinen.«

Da lehnt Pelle den Kopf an die Küchentür und fängt an zu weinen, weint so herzzerreißend, so laut, so durchdringend – so fürchterlich! Er hat so großes Mitleid mit Papa und Mama. Und als Mama ihre Arme um ihn legt, drückt er sein Gesicht an ihren Hals und weint noch mehr, so sehr, daß Mama ganz naß davon wird.

»Ich verzeihe euch«, sagt Pelle zwischen Tränen.

»Danke, lieber Pelle«, sagt Mama.

Viele, viele Stunden später kommt Papa aus dem Büro nach Hause und ruft wie immer bereits in der Diele:

»Wo ist mein kleiner Pelle?«

»Hier!« schreit Pelle und wirft sich ihm in die Arme.

BERTIL MALMBERG
Die Weihnachts-geschenke

ama«, sagte Åke, »darf ich in die Stadt gehen und Weihnachtsgeschenke für Papa kaufen?«

»Ist es nicht ein wenig zu früh? Wir haben heute erst den zwanzigsten November.«

»Es könnte ausverkauft werden«, sagte Åke.

»Ja so, darum«, antwortete die Mutter. »Aber du hast ja noch kein Geld für Weihnachtsgeschenke bekommen.«

»Ich habe fünfundzwanzig Öre«, sagte Åke. »Das reicht.«

»Dann mußt du wohl gehen«, sagte die Mutter. »Das wäre ja schrecklich, wenn die Geschäfte leer wären, ehe du deine fünfundzwanzig Öre losgeworden bist. Aber vergiß nicht, Galoschen anzuziehen.«

In fliegender Hast nahm Åke Rock, Wintermütze und Galoschen und eilte hinaus.

Es lag schon Dunkel über der schneeigen Straße, als Åke durch die Gartentür hinauskam, und da und dort blinkte ein Fenster zwischen dem weißen Zweigwerk der Gärten. Er fand es schrecklich, daß es noch so lange bis Weihnachten war. Nun war es, als wollte er springen, es zu fangen. Aber er sprang nicht geradeaus, sondern im Zickzack, und er hüpfte kreuz und quer über die Schneewehen, die am Rande der Straße lagen. Denn er glaubte, daß er auf diese Art schneller vorwärts käme. – So kam es, daß er plötzlich mit einem Fuß in einer Schneewehe festsaß, und als er den Fuß hochzog, war die Galosche in dem Loch geblieben.

Hätte Åke nun so gehandelt, wie es recht gewesen wäre, so hätte er haltmachen und nach der Galosche suchen müssen, hätte sich keine Ruhe gönnen dürfen, bis er sie gefunden hätte. Aber er war viel zu sehr von dem Gedanken an die Weihnachtsgeschenke erfüllt, als daß er sich lange hätte aufhalten können. Er grub ein Weilchen im Schnee, gab aber bald das langweilige Unternehmen auf und lief weiter.

Er wollte für seinen Vater eine Kuckuckspfeife und vier Zinnsoldaten kaufen. Vater hatte ihm nämlich erzählt, wie sehr er sich damals gefreut hatte, als er diese Kostbarkeiten zu Weihnachten bekam.

Åke wußte, daß man solche Dinge in Johannssons Buch- und Papierhandlung kaufen konnte. Er beschleunigte sein Tempo. Und als er zu Johannssons Buch- und Papierhandlung kam, hatte er apfelrote Backen.

Er ging die Treppe hinauf, und als er die Tür öffnete, begann es zu klingeln. Es war ein scharfes und gelles Klingeln, und das behagte Åke. Er schloß die Tür sehr, sehr langsam, damit es so lange wie möglich klingelte.

Als er die Kuckuckspfeife und die Zinnsoldaten bekommen hatte, fragte der Verkäufer, ob es für den Herrn Doktor aufgeschrieben werden solle. »Ich habe eigenes Geld«, sagte Åke. Es kostete vierundzwanzig Öre. Nun hatte Åke fünf Weihnachtsgeschenke für den Vater, denn jeder einzelne der vier Zinnsoldaten sollte in einem eigenen Paket liegen!

Den Hinweg war er gelaufen, und er lief auch den Heimweg, aber schließlich wurde er müde und mußte langsam gehen. Und gerade da begann es zu schneien. Da fielen ihm die Galoschen ein. – Das war nun so eine Geschichte für sich. Was würde Mama sagen?

Die Mutter nahm es ernster, als Åke gedacht hatte. Er wurde zu einer sehr harten Strafe verurteilt, zu einer erstaunlichen Strafe in seinem kurzen Leben: Er sollte kein Geld für Weihnachtsgeschenke bekommen.

An diesem Abend weinte er sich in den Schlaf, und mit Recht meinte er, daß es keinen unglücklicheren Jungen in der ganzen Welt gäbe als ihn, denn es gab wirklich keinen.

Aber am nächsten Morgen war es aus mit seiner Traurigkeit. Da hatte er einen Ausweg gefunden: Er wollte seine Weihnachtsgeschenke selber machen.

Sofort begann er damit. Er wollte häkeln! Aber er konnte nur eine einfache Reihe von Maschen häkeln, er konnte die einzelnen Reihen nicht aneinanderfügen. Das macht ja nichts, dachte er, eine Reihe ist immer eine Reihe.

Deswegen lief er zur Mutter und bat um Garn und Häkelhaken. Und er bekam es. Er wollte etwas für die Mutter häkeln, er wollte den Anfang von einer Matte häkeln!

Jeden Tag arbeitete er lange Stunden, aber er hatte auch anderes zu tun. Er mußte Papierschnitzel für Großmutter schneiden, das sollte ihr Weihnachtsgeschenk werden. Und diese Papierschnitzel sollte dann die Stallmagd unter das Hühnerfutter mischen. Auf diese Weise bekam man starke Eierschalen. Das wußte Åke.

Und er häkelte und häkelte und schnitzelte und schnitzelte Tag um Tag. Das Garn wurde immer weniger und weniger, und die lange Reihe von Maschen wuchs und wuchs, wenn auch nicht in die Breite, so doch in die Länge. Und Vaters Papierkorb mußte täglich seinen Tribut an Åke liefern. Er dachte, daß er so nützliche Weihnachtsgeschenke, wie er sie selber machte, nie kaufen könnte.

Aber was sollte er für Aja machen? Aja hatte einen sehr wählerischen Geschmack. Er ahnte, daß sie bedeutend schwerer zufriedenzustellen war als Mama und Großmutter. Denn er kannte seine Schwester. Vorläufig ließ er freilich die Frage ruhen und hoffte, daß irgendeine gute Idee von alleine kommen würde, während er an den anderen Dingen arbeitete. Aber es kam keine. Dagegen flog die Zeit fort, der eine Tag nach dem anderen flog fort, ohne daß Åke merkte, wie schnell es ging. Der große Markt begann sich mit Weihnachtsbäumen zu füllen. Die Schaufenster verwandelten sich in Märchenwelten mit Bilderbüchern und Pfefferkuchenmännern. Es gab Kästen im Haus, an die man nicht rühren, und Zimmer, in die man nicht hinein durfte. Des Jahres geheimnisvolle Zeit war gekommen. Es war die Woche vor dem Heiligen Abend. Und noch immer hatte Åke nichts für Aja. Was sollte er nur für Aja machen? Wenn sie doch nicht so furchtbar vornehm wäre, dachte Åke.

Da kam die Mutter herein und gab ihm zwei Kronen. »Hier hast du dein Geld für Weihnachtsgeschenke«, sagte sie.

Er machte große Augen. »Ja, aber ich sollte doch keins bekommen!«

»Papa meint, daß du doch dein Geld haben sollst«, sagte die Mutter. »Dafür, daß du deine Prüfung wie ein ganzer Kerl getragen und nicht gemault hast.«

»Was ist eine Prüfung?« fragte Åke.

»Das ist zu glauben, daß man kein Geld für Weihnachtsgeschenke bekommt«, antwortete die Mutter. »Und seine Prüfung zu tragen, das ist, lieb zu sein, obwohl man traurig ist.«

»Ich bin nicht traurig gewesen«, sagte Åke. »Ich habe nämlich meine Weihnachtsgeschenke selber gemacht.«

»Jaso«, erwiderte die Mutter. »Dann darfst du mit den zwei Kronen machen, was du willst. Nur keine Dummheiten.«

Und die Woche ging vorbei. Wiklunds mächtiger Familienschlitten fuhr vor der Gartentür vor, und darin wurden sie allesamt verpackt: Papa, Mama, Aja und Åke. Und sie fuhren aus der Stadt.

Sie fuhren Meile auf Meile, durch große Wälder. Und es wurde Abend, und es wurde Nacht, und die Schellen läuteten im Dunkeln. Aber für Aja und Åke läuteten sie immer ferner und ferner, da sie unter den Fellen lagen und schliefen.

Dann war man bei der Großmutter. Man saß im Zimmer um den großen Tisch, und der Kronleuchter brannte, und der Weihnachtsbaum brannte, und es war hell in des Herrenhofes langer Flucht von Räumen. Aber im letzten Zimmer war ein kleiner Spiegel, und denkt, darin spiegelte sich der Baum mit allen seinen Lichtern und allen seinen Äpfeln und Sternen!

Aber wie war es nun mit dem Weihnachtsgeschenk für Aja?

Es war wirklich so, daß Åke nichts für seine Schwester hatte finden können. Schließlich hatte er das Zweikronenstück in ein riesenhaftes Paket gelegt, und auf dieses hatte er mit Druckbuchstaben Ajas Namen gesetzt. Denn schreiben konnte er ja noch nicht. Er hatte einen großartigen Erfolg mit seinen Gaben. Großmutter sagte, daß sie sich just solche Papierschnitzel gewünscht hätte, aber natürlich war es nur Åke, der auf so etwas kommen konnte. Es war unglaublich, wie schlecht die Hühner gerade jetzt legten, die Eierschalen gingen kaputt, wenn man sie nur ansah! Was die Mutter betraf, so war sie vollkommen erschüttert. Nie hätte sie geglaubt, daß das, woran Åke gesessen und gehäkelt hatte, für sie sein sollte. Und der Vater? Freilich hatte Åke gedacht, daß der Vater sich freuen würde, wenn er seine Zinnsoldaten und seine Kuckuckspfeife bekäme, aber daß er sich so freuen würde, das hatte er nicht geahnt. Es war wirklich so, daß Åke sich stolz fühlte. Das einzige, was seinen Stolz dämpfte, war der Gedanke an das Zweikronenstück. Denn was würde Aja sagen, da alle andere Sachen bekamen und sie nur Geld?

So kam endlich die Reihe an Aja, und sie begann, das gewaltige Paket auszupacken. Sie sah dabei nicht sonderlich hoffnungsvoll aus. »Das ist natürlich Åke, der dieses Paket hier gemacht hat!«

Aber als sie endlich durch alle Papierhüllen gedrungen war und eine kleine Schachtel erwischt hatte, und als sie die Schachtel geöffnet hatte und das Zweikronenstück entdeckte, da veränderte sich ihre Miene. Sie sprang vom Stuhl auf und hin zu Åke und schlang die Arme um seinen Hals. »Åke«, rief sie, »was du lieb bist! Ganze zwei Kronen!«

Åke wurde rot, er war keine Zärtlichkeiten von Ajas Seite gewohnt. »Du bist doch nicht traurig, Aja, daß du nichts bekamst, was ich selber gemacht habe?« fragte er kleinlaut.

»Ach, den Plunder, den du selber gemacht hast, möchte ich nie haben«, sagte sie verächtlich.

»Plunder?« Das war etwas Neues für Åke. Seine Augen wurden rund wie Untertassen.

»Du glaubst doch wohl nicht, daß diese Papierschnitzel, die du Großmutter gegeben hast, und das Ende Faden, das Mama bekam, daß das etwas ist?« –

»Ist das nichts, Papa?« fragte Åke.

Vaters Gesicht wurde plötzlich fast streng. »Aja ist zu klein, um den Wert deiner Gaben verstehen zu können«, sagte der Vater.

»Da hast du's«, sagte Åke. Aber er fühlte, wie seine Augen voll Tränen standen.

»Du bist dumm«, sagte Aja, »verstehst du nicht, daß Papa nur so sagt, damit du nicht traurig sein sollst?«

Åke sah sich hilflos um. Plötzlich begannen seine Tränen zu fließen. Er schluchzte nicht, aber die Tränen rannen groß und klar über seine Wangen.

Das war nun mehr, als selbst Aja mit ansehen konnte. Sie schlang nochmals die Arme um Åkes Hals und legte ihre Wange an Åkes. »Du bist dumm, Åke«, sagte sie, »denn das bist du. Aber du bist jedenfalls schrecklich nett.«

Siegfried Lenz

Fröhliche Weihnachten oder Das Wunder von Striegeldorf

ieles hat sich unter Weihnachten in Masuren ereignet, weniges aber kommt an Merkwürdigkeit gleich jenem Vorfall, den mein Großonkel, ein sonderbarer Mensch mit Namen Matuschitz, auslöste. Ich möchte davon erzählen auf jede Gefahr hin.

Heinrich Matuschitz, ein fingerfertiger Besenbinder, hatte sich an einem fremden Motorrad vergangen und war für wert befunden, einzusitzen für ein halbes Jahr. Er saß zusammen mit einem finsteren Menschen mit Namen Mulz, der ein alter Forstgehilfe war und dem die Wilddiebe, hol sie der Teufel, zwei Frauen nacheinander von der ehelichen Seite fortgefrevelt hatten, woraufhin Otto Mulz, in gewalttätigem Kummer, den ganzen Striegeldorfer Forst anzündete. Gut. Die Herren leisteten sich rechtschaffen Gesellschaft in ihrer Zelle, beobachteten die berühmten Striegeldorfer Sonnenuntergänge, plauderten aus ihrem Leben, und derweil taten Wochen und Monate das, wovon sie scheint's niemand abbringen kann: Sie strichen ins Land, rückten vor, diese Monate bis zum Dezember, brachten Schnee mit, brachten Frost, bewirkten, daß das schmucklose Gefängnis geheizt wurde, taten so, was man von ihnen erwartet. Insbesondere aber brachten sie näher gewisse Termine, und mit den niederen Terminen auch den Obertermin sozusagen: den Heiligen Abend nämlich.

Nun fällt es einem Masuren schon schwer genug, auf die

Annehmlichkeiten der Freiheit im allgemeinen zu verzichten, furchtbar aber wird es, wenn man ihn zu solchem Verzicht auch am Heiligen Abend zwingt. Demgemäß wandte sich Heinrich Matuschitz, mein Großonkelchen, an seinen Zellenbruder, sprach ungefähr so: »Der Schnee, Otto Mulz«, so sprach er, »kündigt liebliches Ereignis an. Nimmt man den Frost noch hinzu und das Gefühl im Innern, so muß der Heilige Abend nicht weit sein. Habe ich richtig gesprochen?«

»Richtig«, sagte der alte Forstgehilfe.

»Also«, stellte mein Großonkelchen befriedigt fest. Dann starrte er hinaus in den wirbelnden Flockenfall, sann, während er sich am Gitter festhielt, ein Weilchen nach, und nachdem ein neuer Gedanke ersonnen war, sprach er folgendermaßen: »Das Ereignis«, so sprach er, »das liebliche, es steht bevor. Jedes Wesen in Striegeldorf und Umgebung ist angehalten, sich zu freuen. Die Menschen sind angehalten, die Hasen, die Eichhörnchen, und schon gar nicht zu reden von den Kindern. Nur wir, Otto Mulz, sollen gebracht werden um unsere Freude. Weil sich aber jedes Wesen zu freuen hat an diesem Termin, müssen wir ersinnen einen Ausweg.« – »Man will uns«, sagte der alte Forstgehilfe, »die Freude stehlen.« »Eben«, sagte Heinrich Matuschitz, mein Großonkel. »Aber wir werden uns, bevor es dazu kommt, die Freude besorgen, und zwar da, wo sie allein zu finden ist: in der Freiheit. Wir werden uns zum Heiligen Abend beurlauben.«

»Das ist, wie die Dinge liegen, gut gesagt«, sprach Mulz. »Nur wird der alte Schneppat uns nicht bewilligen solchen Urlaub zur Freude. Unter den Aufsehern, die ich kenne, ist Schneppat der Schlimmste. Man wird uns, schlickerdischlacker, gleich wieder schnappen, zumal durch meine persönliche Feuersbrunst verlorengegangen sind die schönsten Verstecke im Walde.« Bei diesen Worten wies er mit ordentlicher Bekümmerung auf die traurigen Baumstümpfe, die vom Striegeldorfer Forst nachgeblieben waren.

Das Großonkelchen indes gnidderte, das heißt: lachte versteckt, legte dem Otto Mulz einen Arm um die Schulter, winkte sich sein Ohr ganz nahe heran und sprach:

»Uns wird«, so sprach er, »überhaupt niemand vermissen, kein Schneppat und niemand. Denn wir werden zurücklassen unser Ebenbild. Wir werden hier sein und nicht hier.«

Was Otto Mulz dazu brachte, mein Großonkelchen zuerst erstaunt, dann mißtrauisch und schließlich mitfühlend anzusehen und nach einer Weile zu sagen: »Manch einen, Heinrich Matuschitz, hat große Freude schon blöde gemacht. Denn erkläre mir, bitte schön, wie ein Mensch gleichzeitig sein kann bei dem lieblichen Ereignis in der Freiheit und hier in der Zelle.«

Obwohl diese Worte, man wird es zugeben, nicht unbedingt höflich waren, verlor das Großonkelchen weder Faden noch Geduld, sondern begann mit listigem Lächeln zu flüstern, und zwar flüsterte er dermaßen vorsichtig, daß nicht einmal etwas für diese Erzählung erlauscht werden konnte. Sicher ist nur, daß er dabei den Otto Mulz, sei es überredete, sei es überflüsterte; denn das finstere Gesicht des alten Forstgehilfen hellte sich auf, spiegelte Teilnahme, spiegelte Begeisterung, und zuletzt spiegelte es – na, sagen wir: Verklärung.

Und dann begab sich folgendes: Heinrich Matuschitz, mein Großonkel, aß kein Brot mehr – ebensowenig aß es sein Zellenbruder –; und jede Ration wurde unter dem Bett versteckt, wurde gestreichelt und gehütet, während das liebliche Ereignis unaufhaltsam heraufzog. Die einsitzenden Herren wurden, je näher das Ereignis kam, unruhiger, gespannter und flattriger, man plauderte nicht mehr aus dem Leben, fand keine Zeit zu müßiger Beobachtung, alles an ihnen war nur noch eingestellt in Richtung auf das Kommende und auf das, was zwischen ihnen geflüstert war.

Und eines Morgens, nachdem der Frost sie muntergekniffen hatte, erhob sich Heinrich Matuschitz und gab preis, was er so sorgfältig auch vor uns verborgen gehalten hatte: Fingerfertig, wie mein Großonkelchen war, zog er das gesparte Brot unter dem Bett hervor, benetzte es auskömmlich und begann, weiß der Kuckuck, aus dem weichen Brot den Kopf des alten Forstgehilfen zu kneten. Walkte und knetete mit einem Geschick, daß sich dem Otto Mulz die Sprache versagte; zog eine Nase aus, das Großonkelchen, klatschte eine Stirn zurecht, schnitt zwei Lippen in den Teig – und alles haargenau nach dem Original des Forstgehilfen. Lachte dabei und sprach:

»Der wird«, sprach er, »Otto Mulz, genau wie du. Hoffentlich steckt er nur keinen Forst an.«

»Mir wird es«, sprach Mulz, »unheimlich zumute. Obwohl ich weiß, Heinrich Matuschitz, daß du manches kannst schnitzen mit deinem Messer, wußte ich doch nicht, daß du einen Striegeldorfer formen kannst nach seinem Ebenbild.«

Dann sah er atemlos zu, wie Ohr und Kinn entstanden, und zuletzt hielt er zitternd still, als ihm das Großonkelchen ein paar Haare absäbelte und sie an den Brotkopf klebte.

»Pschakrew«, sagte der Forstgehilfe, »wenn ich schon früher so doppelt gewesen wäre, dann hätte einer von mir zu Hause bleiben können: Die Wilddiebe hätten sich nicht rangetraut, die Frau wäre mir geblieben, ich hätte den Forst nicht angezündet und brauchte hier nicht zu sitzen. Wenn ich, pschakrew, das alles gewußt hätte.«

Nachdem der Kopf des Forstgehilfen fertig war, fabrizierte mein Großonkelchen sich selbst, und weil das Brot nicht hinreichte, nahm er zur Ausbildung des Hinterkopfes einige Pfefferkuchen, die ihnen, da das liebliche Ereignis unmittelbar bevorstand, hereingeschoben worden waren.

Kaum war er fertig damit, als die Klappe in der Tür fiel und Schneppat, der kurzatmige Aufseher, hereinschaute zum Zweck der Kontrolle. Er schaute wichtigtuerisch, dieser Mensch, und zum Schlusse fragte er in seiner höhnischen Besorgtheit: »Na«, fragte er, »was wünschen sich die Herren zum Heiligen Abend?«

»Schlummer«, sagte mein Großonkelchen prompt. »Wir möchten bitten das Gesetz um langen, ungestörten Festtagsschlummer.«

»Könnt ihr haben«, sagte Schneppat. »Aber da ich nicht hier bin, werd' ich es Baginski sagen, dem Aufseher aus Sybba. Er löst mich ab für zwei Tage. Wer schlummert, sündigt nicht.« Damit ließ er die Klappe herunter und empfahl sich.

Seine Schritte waren noch nicht verklungen, als Heinrich Matuschitz die Brotköpfe hervorholte, sie auf die Pritschen legte, die Decken kunstgerecht hochzog und überhaupt einen unwiderlegbaren Eindruck hervorrief von zwei Herren im Festtagsschlummer. Wehmütig standen sie vor ihren Ebenbildern, ergriffen sogar, und dann sagte das Großonkelchen vor seiner Büste:

»Ich grüße dich«, sagte er, »Heinrich Matuschitz auf der Pritsche. Gott segne deinen Schlummer.«

Etwas Ähnliches sprach auch der alte Forstgehilfe, und nachdem sie Abschied genommen hatten von sich selbst, hoben sie das Gitter ab und verschwanden durchs Fenster in Richtung auf das liebliche Ereignis.

Dies Ereignis: Es wurde angesungen von den Zöglingen

der Striegeldorfer Schule, wurde von Glöckchen verkündet, vom Geruch gebratener Gänse, und ehedem hatte sich an der Verkündung auch der Wind im Striegeldorfer Forst beteiligt.

Mein Großonkelchen und Otto Mulz, sie gingen mit sich zu Rate, wie sie das liebliche Ereignis ihrerseits am besten verkünden könnten, und nach schwerer Grübelarbeit beschlossen sie, es durch Gesang zu tun, mit den Zöglingen der Striegeldorfer Schule. Während des Gesanges schon wurden sie teilhaftig der Freude, obwohl die Oberlehrerin Klimschat, die das Singen befehligte, Mühe hatte, die Herren einzustimmen: bei jedem Mal, da sie die Stimmgabel anschlug, lauschte sie verwundert und sprach: »Mir kollert, pschakrew, ein Tönchen nach dem andern von der Gabel runter.«

Na, aber da sie von mitfühlendem Wesen war, ließ sie die Herren singen, und nach dem Gesang gingen diese zu meinem Großonkelchen nach Hause, wo neue Freude bezogen wurde aus gebratenem Speck, aus geräuchertem Aal und, natürlich, aus dem lieblichen Schein der Talglichter. Bezogen so viel Freude, die Herren, daß sie wieder ins Singen verfielen, sangen von dem lieblichen Ereignis, und nach abermaligem Essen suchten die Herren auf dem Fußboden nach einem Festtagstraum.

Träumten angenehm bis zum nächsten Tag, lächelten sich innig zu beim Erwachen und stellten fest, daß man nicht bestohlen worden war um rechtmäßige und zustehende Freude.

Und nach solchen Versicherungen beschlossen sie, zurückzukehren in das ansprechende, wenn auch schmucklose Gefängnis, um unnötige Schwierigkeiten zu vermeiden. Machten sich also auf, die beiden, und gelangten alsbald zum Ort ihrer Bestimmung, der bewacht wurde von dem Aufseher Baginski aus Sybba. Dieser Mensch jedoch, wachsam wie er war, entdeckte die Herren, als sie in der Dämmerung durchs Fenster steigen wollten, rief sie drohend an und kommandierte:

»Der Unfug«, kommandierte er, »hat an diesem Haus zu unterbleiben, zumal Weihnachten. Alle Personen zurück.«

Worauf mein Großonkelchen entgegnete:

»Wir fordern nicht gerade, was recht, aber was billig ist. Wir gehören hierher. Wir sind, wenn ich so sagen darf, wohnberechtigt.«

Baginski lugte durch das Fenster, äugte eine ganze Zeit hinein, und dann sprach er: »Die Betten, wie man sieht, sind besetzt. Die Herren schlummern. Da sie sich ausbedungen haben den Schlummer zum Festtag, hat jede Störung zu unterbleiben.«

»Ein Irrtum«, sagte Otto Mulz, dem die Kälte zuzusetzen begann. »Ein reiner Irrtum, Ludwig Baginski. Die Herren, die da schlummern, sind wir.«

»Wir möchten«, ließ sich mein Großonkel vernehmen, »die Schlafenden nur austauschen gegen uns.«

Ludwig Baginski, der Aufseher, blickte düster, blickte zurechtweisend, schließlich sagte er: »Meine Augen«, sagte er, »sie sehen, was nötig ist. Und hier ist nötig Ruhe für zwei schlummernde Herren. Also möchte ich bitten um das, was gebraucht wird zur Erhaltung des Schlummers: Stille nämlich.«

Stellte sich, weiß Gott, gleich ziemlich drohend auf, dieser Ludwig Baginski, und zwang die Herren abzuziehen. Nun, sie zogen davon bis zu den Baumstümpfen des ehemaligen Striegeldorfer Forstes, stellten sich zusammen, und, da sie diesmal keinen Grund besaßen zu flüstern, vernahm man Otto Mulz folgendermaßen:

»Napoleon«, so vernahm man ihn, »hatte es schwer auf seinem Weg nach Rußland. Verglichen mit unserer Schwierigkeit, war seine ein Dreck.«

»Man müßte«, sagte Heinrich Matuschitz, »etwas ersinnen.«

»Mäuse«, sagte der alte Forstgehilfe. »Wir werfen Mäuse in das Zellchen, die werden unsere Köpfe wegknabbern, und wenn wir nicht mehr da schlummern, wird man uns wieder reinlassen, und wir können in Ruhe abbrummen die letzten Wochen.«

»Auch die Mäuse, Otto Mulz, sind zu dieser Zeit angehalten zur Freude. Sie finden mehr als genug. Nein, wir müssen warten, bis Ludwig Baginski sich niedergelegt zur Ruhe. Dann werden wir's noch einmal versuchen.«

Und das taten die Herren. Sie warteten frierend im ehemaligen Striegeldorfer Forst, und als die Stunde gut war und günstig, schlichen sie zum Gefängnis, stiegen diesmal unbemerkt ein, als die Klappe in der Tür fiel und der Aufseher Baginski argwöhnisch hereinsah.

Es durchfuhr ihn, er grapschte in die Luft und taumelte zurück, und als die Benommenheit sich legte, rannte er nach dem Schlüssel, rannte zurück und schloß auf. Was er sah, waren zwei blinzelnde Herren, die auf ihren Pritschen lagen.

Aber Baginski gab sich nicht zufrieden, respektierte keinen Schlummer und keinen Festtag, sagte statt dessen: »Meine Augen, sie sehen, was zu sehen ist. Und sie haben in diesem Zellchen erblickt vier Herren, statt zwei. Demnach möchte ich bitten um Aufschluß über die zwei andern.«

»Wir haben, wie gewünscht, angenehm geschlummert«, sagte Mulz.

»Aber es waren vier, wie meine Augen gesehen haben.«

Darauf sammelte sich mein Großonkelchen und sprach:

»Wenn ich mich, Ludwig Baginski, nicht irre, geschehen zu diesem Termin Wunder auf der ganzen Welt.

Warum, bitte sehr, sollte Striegeldorf verschont bleiben von solchen Wundern? Besser, es geschieht ein Wunder als gar keins. Habe ich richtig gesprochen, Otto Mulz?«

»Richtig«, bestätigte der alte Forstgehilfe, und die Herren wickelten sich jeder in sein Deckchen und wünschten sich »Gute Nacht«.

Alexej Tolstoi
Der Tannenbaum

ine große Tanne wurde in den Salon gebracht. Um sie ins Kreuz einzupassen, mußte Pachom lange klopfen und sie mit dem Beil spitzen. Als man den Baum schließlich aufrichtete, war er so hoch, daß die zartgrüne Krone sich an der Decke zurückbog. Kälte strömte von der Tanne aus, aber allmählich tauten die zusammengepreßten Äste auf und breiteten sich aus; die Nadeln lockerten sich, und das ganze Haus duftete nach Tannengrün. Die Kinder trugen einen Arm voll bunter Ketten ins Zimmer und Schachteln mit Weihnachtsschmuck, stellten Stühle an die Tanne und begannen sie zu schmücken. Bald ergab es sich, daß die Sachen nicht ausreichten. Wieder mußten sie sich hinsetzen und Schmuck kleben, Nüsse vergolden und die Pfefferkuchen wie auch die Krimer Äpfel mit Silberfäden versehen. Mit dieser Arbeit verbrachten die Kinder den ganzen Abend, bis Lilja den Kopf mit der zerknitterten Haarschleife auf den Arm sinken ließ und am Tisch einschlief.

Dann kam der Weihnachtsabend. Die Tanne stand da, von goldenem Gespinst umhüllt, die Ketten waren eingehängt und die Lichte in die farbigen Lichthalter geklemmt. Als alles fertig war, sagte die Mutter: »Jetzt geht hinaus, Kinder, und daß mir niemand bis zum Abend ins Zimmer kommt!«

An diesem Tage aß man sehr schnell und spät zu Mittag – die Kinder aßen nur die süße Nachspeise »Charlotte«. Im Hause war ein großes Durcheinander. Die Jungen lümmelten überall herum und hielten jeden auf mit der Frage, ob es bald Abend sei. Selbst Arkadij Iwanowitsch, der einen schwarzen Rock mit langen Schößen und ein steifgebügeltes Hemd angezogen hatte, wußte nicht, was er tun sollte; er ging von Fenster zu Fenster und pfiff vor sich hin. Lilja war zur Mutter gegangen. Die Sonne sank furchtbar langsam zur Erde, wurde rosarot und von Nebelwolken verschleiert; der violette Schatten vom Brunnen dehnte sich immer länger auf dem Schnee aus. Schließlich gab die Mutter das Zeichen zum Anziehen. Nikita fand auf seinem Bett eine blaue seidene Bluse, am Kragen, am Saum und an den Ärmelaufschlägen mit einer Tannenranke bestickt, dazu eine geflochtene Kordel mit kleinen Quasten und ein Paar Sammethosen. Nikita zog sich an und lief zur Mutter. Sie zog mit dem Kamm den Scheitel und glättete ihm die Haare, nahm ihn bei den Schultern, sah ihm aufmerksam ins Gesicht und führte ihn vor den großen Mahagonispiegel. Im Spiegel erblickte Nikita einen gutgekleideten, etwas blassen, netten Jungen. War er das wirklich selbst?

»Ach, Nikita, Nikita«, sagte die Mutter und küßte ihn auf den Kopf, »wärest du doch immer ein so lieber Junge.«

Auf den Fußspitzen ging Nikita in den Flur und sah dort ein Mädchen ganz in Weiß, das ihm mit gemessenen Schritten entgegenkam. Es hatte ein reichverziertes Überkleidchen an und darunter ein Musselinröckchen, eine große weiße Schleife im Haar, und sechs üppige Locken fielen zu beiden Seiten des Gesichts, das er kaum erkannte, auf die hageren Schultern herab. Als Lilja näher kam, schnitt sie ein Gesicht und sah Nikita an. »Was dachtest du wohl – ein Gespenst?« sagte sie, »hast Angst gehabt?« Sie ging ins Kabinett, setzte sich aufs Sofa und zog die Füße mit herauf.

Nikita folgte ihr und setzte sich auch aufs Sofa, auf das andere Ende. Im Zimmer war geheizt. Die Holzscheite knisterten, Funken sprühten. Das rötlich flimmernde Licht fiel auf die hohen Lehnen der Ledersessel, auf die eine Ecke des goldenen Rahmens an der Wand, auf den Marmorkopf zwischen den Schränken.

Lilja saß da, ohne sich zu rühren. Es war wundervoll, wenn der helle Schein vom Ofen auf ihre Wange und auf das hochgezogene Näschen fiel. Viktor erschien in der blauen Schüleruniform mit blanken Knöpfen und der Tresse am Kragen, der den Hals einschnürte, so daß das Sprechen schwer wurde. Er setzte sich in den Sessel und schwieg auch. Man hörte, wie nebenan im Salon die Mutter und Anna Apollossowna Päckchen öffneten, etwas auf den Fußboden stellten und mit leiser Stimme miteinander sprachen. Viktor schlich sich wohl an das Schlüsselloch, aber es war von der Innenseite mit Papier verstopft.

Dann schlug im Flur die Verbindungstür zu, man hörte Stimmen und viele kleine Schritte. Nikita wußte sofort: Die Kinder aus dem Dorfe waren gekommen. Er hätte zu ihnen laufen müssen, aber er konnte sich nicht rühren. Auf den Eisblumen am Fenster flammte ein bläuliches Lichtlein auf. Mit einem dünnen Stimmchen bemerkte Lilja: »Ein Stern ist aufgegangen!«

In diesem Augenblick öffneten sich die Türen zum Salon. Die Kinder sprangen vom Sofa herab. Im Salon strahlte vom Fußboden bis zur Decke in hundert Kerzen der Tannenbaum. Er stand da wie ein flammender Baum, in Gold, Funken und schimmernden Strahlen glitzernd. Ein volles warmes Licht ging von ihm aus; es duftete nach Tannengrün, nach Wachs, nach Mandarinen und Honigkuchen.

Ergriffen standen die Kinder und rührten sich nicht. Im Salon wurden die anderen Türen geöffnet, und schüchtern, an der Wand sich drängend, kamen die Dorfjungen und -mädchen herein. Sie alle waren in Wollstrümpfen ohne Filzstiefel, in roten, gelben und rosafarbenen Blusen und in roten, rötlichen und weißen Kopftüchern. Die Mutter setzte sich an den Flügel und spielte eine Polka. Spielend wandte sie sich zum Tannenbaum und begann lächelnd zu singen:

»Hat der Storch auch lange Beine,
fanden sie doch nicht den Weg...«

Nikita reichte Lilja die Hand. Sie gab ihm die ihre und sah dabei auf die Lichter. In ihren blauen Augen, in jedem einzeln, flammte ein Lichterbäumchen auf. Die Kinder standen und bewegten sich nicht. Schließlich ging Arkadij Iwanowitsch zu den Jungen und Mädchen, nahm ihre Hände und tanzte um den Tannenbaum herum. Die Schöße seines Rockes flatterten hinter ihm her. Tanzend erwischte er noch zwei andere, dann Nikita, Lilja und Viktor, und schließlich kreisten alle Kinder im Reigen um den Tannenbaum. Die Kinder begannen zu singen:

»Will das Gold wohl horten, horten,
will das Silber horten, horten...«

Nikita nahm vom Baum einen Knallbonbon und riß ihn auf; eine Kappe mit Sternen war darin. Gleich darauf knallten die anderen los; es roch nach Knallpulver, überall raschelte Seidenpapier. Lilja fand ein Papierschürzchen mit Täschchen. Sie band es um. Ihre Wangen waren rot wie Äpfel, auf den Lippen hatte sie noch die Reste von Schokolade. Sie lachte die ganze Zeit und sah sich die große Puppe an, die unter der Tanne im Körbchen inmitten ihrer Puppenausstattung saß. Dort unter der Tanne lagen auch die in farbige Tücher eingeschnürten Papierpäckchen mit den Geschenken für die Jungen und Mädchen. Viktor erhielt ein Regiment Soldaten mit

Kanonen und Zelten, Nikita einen richtigen ledernen Sattel, einen Zaum und eine Reitgerte.

Jetzt hörte man nur noch, wie die Nüsse knackten und wie unter den Füßen die Nußschalen knirschten, wie die Kinder durch die Nase atmeten, als sie ihre Päckchen mit den Geschenken auspackten. Die Mutter setzte sich wieder an den Flügel und begann zu spielen; um den Tannenbaum kreiste Lieder singend der Reigen. Die Lichter brannten bereits ab; Arkadij Iwanowitsch sprang hinzu und löschte sie. Der Tannenbaum wurde dunkel. Die Mutter schloß den Flügel und schickte alle ins Eßzimmer zum Teetrinken.

Aber auch hier beruhigte sich Arkadij Iwanowitsch noch nicht. Er bildete eine Kette und führte sie – er selbst an der Spitze und fünfundzwanzig Kinder hinter ihm her – auf Umwegen durch den Flur ins Eßzimmer.

Im Vorzimmer löste sich Lilja aus der Kette, stand still und schaute, den Atem anhaltend, mit lachenden Augen Nikita an. Sie standen neben der Garderobe mit den Pelzen. Lilja fragte: »Warum lachst du?«

»Du lachst ja«, erwiderte Nikita.

»Warum guckst du mich denn so an?«

Nikita wurde rot, ging aber näher, und ohne zu wissen, wie es kam, beugte er sich zu Lilja und gab ihr einen Kuß. Sie antwortete sehr schnell: »Du bist ein lieber Junge. Ich habe dir das nicht gesagt; denn niemand soll das wissen, es bleibt ein Geheimnis.« Damit drehte sie sich weg und lief ins Eßzimmer.

Nach dem Tee versuchte Arkadij Iwanowitsch ein Pfänderspiel, doch die Kinder waren müde, übersättigt und begriffen nur schlecht, was sie tun sollten. Schließlich schlief ein kleiner Junge in seinem gesprenkelten Kittelchen ein, fiel vom Stuhl und fing laut zu weinen an. Die Mutter sagte, daß das Tannenbaumfest jetzt zu Ende sei.

Die Kinder verschwanden in den Flur, wo an der Wand ihre Filzstiefel und Pelze lagen. Sie zogen sich an und stürzten in gedrängten Haufen aus dem Hause in die Kälte hinaus.

Nikita begleitete die Kinder bis zum Staudamm. Als er allein nach Hause zurückkehrte, leuchtete hoch am Himmel in blassen Regenbogenkreisen der Mond. Die Bäume auf dem Damm standen weiß und gewaltig da und waren, wie es schien, im Mondenschein noch gewachsen und ragten noch höher hinauf. Rechts dehnte sich im unabsehbaren frostigen Nebel die Schneefläche aus. Zur Seite Nikitas folgte Schritt um Schritt der langgezogene großköpfige Schatten. Es schien Nikita, als gehe er wie im Traum durch ein verwunschenes Land. Nur in einer Märchenwelt ist es einem so sonderbar und glücklich ums Herz.

Knut Hamsun
Weihnachten in der Berghütte

s war sehr viel Schnee zu Weihnachten gekommen, das kleine Haus droben in den Bergen steckte nicht mit viel mehr heraus als mit dem Dach und den beiden obersten Balken. Es war übrigens auch nur eine Hütte, ein Häuslerplatz für eine Kuh, ein Schwein und ein Lamm.

Hier wohnte die Familie Sommer und Winter für sich allein.

Der Mann hieß Tor und die Frau Kirsti; und sie hatten fünf Kinder, die Timian bis Kaldäa hießen. Die Kaldäa war im Dienst unten im Dorf, und Timian hatte es durchgesetzt, nach Amerika zu gehen. Die drei Kinder, die noch zu Hause waren, waren zwei Jungen und ein Mädchen: Rinaldus, Didrik und Tomelena. Aber Tomelena nannte man für gewöhnlich nur Lena.

Es war, wie gesagt, zu Weihnachten unmäßig viel Schnee gefallen, und der alte Tor hatte den ganzen Tag Schnee geschaufelt, so daß er ganz müde und abgearbeitet war. Nun hatte er alles gelesen, was für den Weihnachtsabend im Gesangbuch stand, und sich danach mit der Pfeife im Munde aufs Bett gelegt. Die Frau kochte und wirtschaftete am Herde, indem sie die ganze Zeit in der Stube hin und her ging und immer noch etwas zu ordnen fand.

Hat das Vieh schon was zum Abend bekommen? fragte Tor.

Ja, freilich, erwiderte die Frau.

Tor rauchte wieder ein Weilchen und sagte dann, indem er in seinen Bart lächelte:

Was kochst und brätst du da den ganzen Abend, Frau? Ich begreife gar nicht, wo du das alles hernimmst.

Oh, ich bin reicher, als ihr glaubt, erwiderte Kirsti, und sie lachte selbst über den Scherz.

Beim Abendessen sollte die Familie auch einen Schnaps haben, das war alter Brauch, und Rinaldus war derjenige, der die Gläser einschenken sollte. Das war für ihn ein feierlicher Augenblick; er sollte die Karaffe mit den großen gemalten Rosen in seinen Händen halten. Aller Augen beobachteten ihn.

Halte die Rosenkaraffe in der linken Hand, wenn du Leuten eingießt, die älter sind als du, sagte der Vater. Du bist alt genug, etwas anzunehmen und etwas zu lernen.

Und Rinaldus nahm die Rosenkaraffe in die linke Hand. Er goß so vorsichtig ein, daß es ein förmliches Schauspiel war, streckte dabei die Zunge heraus, legte den Kopf auf die Seite und goß.

Die Abendmahlzeit war das reine Festessen, es gab Fladenbrot, Sirup und ein Ei für jeden. Außerdem konnte man sehen, daß es Weihnachten war, denn es gab noch Butter zum Brote.

Tor sprach laut Luthers Tischgebet.

Aber nach der Mahlzeit irrte sich der kleine Didrik im Tage, ging zum Vater und zur Mutter und gab ihnen die Hand zum Dank fürs Essen. Der Vater ließ es ihn tun, bevor er etwas sagte; als er aber fertig war, sagte Tor doch:

Du solltest uns heute abend nicht für das Essen danken, Didrik. Es ist gerade nichts Verkehrtes dabei; aber du weißt, am Neujahrsabend sollst du für das Essen danken.

Didrik war nun so beschämt, daß er sich ganz zusammenduckte, und er brüllte beinahe los, als die Geschwister über ihn zu lachen begannen.

Tor hatte sich wieder mit der Pfeife im Munde auf das Bett gelegt, und die Frau wusch die Tassen ab.

Ja, das war ein tüchtiger Schneefall, den wir hatten, sagte sie.

Er ist wohl auch noch nicht zu Ende, erwiderte Tor. Der Mond hat einen Hof, und die Elstern fliegen dicht am Boden.

An einen Kirchgang ist für morgen wohl nicht zu denken, was?

Ach, Gott behüte. Du hast wohl nicht im Kalender nachgesehen, wenn du morgen auf Kirchgangswetter hoffst.

Wie ist denn da der Aspekt?

Er sieht wohl nicht besser aus als ein Kalb ohne Beine. Ich würde sonst nicht so schlecht davon reden.

Nein, wirklich!

Gib meine Brille her, Rinaldus, aber laß sie nicht auf den Boden fallen, fuhr Tor fort. Und er untersuchte noch einmal den gefährlichen Aspekt. Ja, da siehst du, sagte er zu der Frau. Es ist nicht besser, als ich sage.

Jesus behüte uns alle! meinte Kirsti und faltete ihre Hände. Bedeutet das da Unwetter?

Ja, das bedeutet Unwetter. Aber das hier ist doch wohl noch nicht der schlimmste Aspekt. Wenn du einen von der richtigen Sorte sehen willst, dann sieh dir hier den fünften Februar an. Das ist wohl kein geringerer als der Antichrist selbst, mit zwei Hörnern.

Jesus, Gott behüte uns alle! Und Timian, der in Amerika ist.

Nach diesem Ausruf trat für ein Weilchen Stille in der kleinen Stube ein. Draußen begann es zu stürmen und der Schnee zu fegen. Die Kinder unterhielten sich miteinander und vergnügten sich mit verschiedenen Dingen; die Katze ging von einem zum andern und ließ sich streicheln.

Ich möchte wohl wissen, was der König am Weihnachtsabend ißt? brachte Didrik hervor.

Haha, da gibt es wohl feine Butter und süße Kuchen, rief die kleine Lena, die erst acht Jahre alt war und es nicht besser wußte.

Denke, süßen Kuchen! Und dann auch noch Butter darauf, sagte Didrik. Und der König trinkt wohl eine ganze Rosenkaraffe allein aus?

Aber Rinaldus, der der älteste war und bereits weit in der »Auslegung« gekommen, lachte über dieses Gerede laut auf:

Nur *eine* Rosenkaraffe! Haha, der König trinkt wohl mindestens zwanzig!

Zwanzig, sagst du?

Ja, die trinkt er mindestens.

Nein, bist du verrückt, Rinaldus! Es ist unmöglich, mehr als zwei zu trinken, sagte die Mutter, die am Herde stand.

Aber nun mischte sich auch Tor hinein.

Was faselt ihr da? sagte er. Glaubt ihr denn etwa, der König trinkt solchen gewöhnlichen Schnaps? Der König trinkt etwas, was Schampanertrunk heißt, will ich euch sagen. Davon kostet eine einzige Flasche fünf bis sechs Kronen, je nachdem wie die Preise in England sind. Und den trinkt der König von früh morgens bis spät am Abend, nichts als Schampanertrunk. Und jedesmal, wenn er ein Glas ausgetrunken hat, stößt er es so hart auf das Tablett, daß es zersplittert, und sagt zur Prinzessin: Nimm es fort! sagt er!

Aber in Jesu Namen, warum zersplittert er denn die Gläser? fragt Kirsti.

He, solch eine Frage! Glaubst du, daß er sich herabläßt, die ganze Zeit aus ein und demselben Glase zu trinken, so ein Mann, wie der ist?

Pause.

Ich begreife nicht, Tor, woher du immer alles weißt, sagt die Frau ganz still.

Ach, erwidert Tor, bei mir hapert's auch manchmal; es war zwar nicht so leicht zu meiner Zeit, vor dem Pfarrer zu bestehen. Damals mußte man seine Dinge können.

Dann erhob sich Tor, legte die Pfeife fort und fragte nach dem Pulver. Er wußte wohl, wo es versteckt war, denn er hatte es selbst am Fußende des Bettes vergraben, als er das letzte Mal vom Krämer kam; aber er fragte doch danach und rief dadurch eine feierliche Stimmung in der Stube hervor.

Als das Pulver hervorgeholt war, teilte er es in drei gleiche Teile und packte es in dreieckige Papierstücke ein. Dann setzte er die Mütze auf. Die Kinder versammelten sich neugierig um ihn und baten, mit ihm gehen zu dürfen, denn sie wußten, was bevorstand. Und bald saß Kirsti allein in der Stube.

Tor und die Kinder arbeiteten sich bis zum Kuhstall durch, sie wollten das Pulver verbrennen. Der Schnee fegte wild um sie herum. Tor machte das Zeichen des Kreuzes, dann öffnete er die Stalltüre und machte abermals das Zeichen des Kreuzes, nachdem er eingetreten war. Der Stall lag im Halbdunkel, alles war still, man hörte das Wiederkauen der Kuh. Tor zündete ein Lichtstümpfchen an und steckte dann die Pulverpäckchen an, eins für die Kuh, eins für das Schwein und eins für das Lamm; die Kinder sahen mit heimlichem Beben zu, keines von ihnen sagte ein Wort. Dann machte Tor wieder das Zeichen des Kreuzes und ging. Er rief nach Lena, die zurückgeblieben war, um das Lamm zu streicheln, daß sie sich sputen möchte und kommen. Und Tor und die Kinder kehrten wieder in die Stube zurück.

Das ist ein richtiges Wetter draußen, sagte er, der ganze Berg steht wie in Rauch.

Er legte sich wieder aufs Bett, bis der Kaffee fertig war, während die Kinder mit Kleinigkeiten sich am Tisch zu beschäftigen begannen. Sie wurden immer lauter und lachten dazu bisweilen über die geringfügigsten Dinge. Tor sprach durch das Zimmer hin zu seiner Frau.

Ja, ich möchte wirklich wissen, was … Nein, Kinder, ihr lärmt so, daß man sein eigenes Wort nicht versteht … ich möchte wirklich wissen, wo ich hin soll und mich wieder nach ein bißchen Arbeit umsehen, sagte er.

Die Frau goß Kaffee ein.

Ach, da findet sich schon Rat mit Gottes Hilfe, erwiderte sie.

Vielleicht gibt es unten im Dorf ein wenig Drescharbeit.

Ach ja, da findet sich schon was … Komm und trink nun Kaffee.

Als Tor seinen Kaffee getrunken hatte, zündete er wieder seine Pfeife an. Er zog die Frau zur Türe hin und flüsterte dort ein Weilchen mit ihr, so daß die Kinder sich fast verrückt lauschten, um zu hören, was da gesagt wurde. Als aber die kleine Lena ihren naseweisen Kopf zwischen die Eltern stecken wollte, wurde sie schnell fortgeschoben, und die Brüder riefen ihr schadenfroh zu:

Siehst du, da hast du's!

Aber Klein-Lena war doch so nett und lieb, daß niemand das Herz hatte, sich über sie lustig zu machen. Darum gab Rinaldus ihr auch gleich darauf einen großen, blauen Knopf und erfreute sie mit dem Wenigen, was er hatte.

Der Vater ging zum Schrank hin und nahm dort ein Paket herab. Dieses Paket enthielt eine Sendung von Timian in Amerika, eine Boa aus weichem, schwarzem Fell und mit Quasten. Timian hatte wohl daran gedacht, wie kalt es dort oben in den Bergen im Winter war, und dann hatte er diese Boa heimgesandt, die die wärmste Halsbinde war, die er je gesehen hatte. Sie war wohl auch nicht so billig gewesen.

Aber wer sollte nun die Boa haben? Tor wie auch seine Frau hatten über die Frage des langen und breiten nachgedacht, und endlich bestimmt, daß Rinaldus sie haben sollte; denn Rinaldus wäre der ältere, außerdem hatte er oft Gänge ins Dorf zu machen, so daß er wohl etwas Warmes brauchen konnte.

Rinaldus, komm her! sagte Tor. Hier ist eine Halsbinde von Bruder Timian für dich. Und das ist eine gehörige Halsbinde! Aber du mußt vorsichtig damit sein, damit du noch etwas Feines um den Hals hast, wenn du vor dem Pfarrer stehst. Da, verbrauch sie mit Gesundheit!

Nun entstand eine Verwunderung und Freude, an der alle teilnahmen. Die weiche Boa wurde eine halbe Stunde lang beschaut und befühlt, und die kleine Lena ward nicht müde, mit ihren kleinen blauen Händchen darüber hin zu streichen. Aber sie durfte sie nicht fest umlegen, nein, ja nicht umlegen, sie wäre noch zu klein dazu. Dagegen bekam Lena ein kleines Licht, und dieses Licht zündete sie fortwährend an und löschte es wieder aus, denn sie konnte es sich nicht leisten, es brennen zu lassen. Didrik war der einzige, der nichts bekam; aber der Vater versprach ihm eine ganz neue Biblische Geschichte, sobald er mit Drescharbeit im Dorfe unten ein wenig Geld verdienen könnte.

Der Schnee trieb immer dichter gegen die Scheiben, und bisweilen fiel sogar Schnee durch den Schornstein herab, bis ins Feuer auf dem Herde. Es war schon spät und Zeit, zu Bett zu gehen; morgen gab es wohl wieder dieselbe Arbeit mit dem Schneeschaufeln.

Ja, geht nun auf den Hängeboden hinauf und legt euch zu Bett, Kinder! sagte Tor. Betet zu Jesus, bevor ihr einschlaft, und macht das Zeichen des Kreuzes über Gesicht und Brust.

Und die Kinder krochen dann, eines nach dem andern, die Leiter hinauf. Rinaldus durfte seine Boa, in Papier eingewickelt, mitnehmen, und Lena kam mit ihrem Lichte in der Hand nach...

Um zwölf Uhr, als alle schliefen, hörte die Mutter in der Stube oben etwas rascheln. Sie rief hinauf, ob jemand oben wach wäre. Keine Antwort. Alles blieb still. Ein Weilchen später trippelten kleine Füße über den Boden, die vorsichtigsten Schritte, die man kaum noch hören konnte – das war die kleine Lena, die sich doch im Dunkeln zu der Boa hingeschlichen hatte, um sie umzulegen, und nun schreckliche Angst hatte, dabei ertappt zu werden.

Die feine Boa! Es war der weichste Gegenstand, der je in der Berghütte gewesen war, und Rinaldus benutzte sie nur zweimal mit größter Vorsicht beim Kirchgang. Aber trotzdem begannen im Sommer jämmerlich die Haare auszufallen, und in die Quasten kamen wahrhaftig die Motten.

O. Henry
Das Geschenk der Weisen

in Dollar und siebenundachtzig Cent. Das war alles. Und sechzig Cent davon in Pennies. Stück für Stück ersparte Pennies, wenn man hin und wieder den Kaufmann, Gemüsemann oder Fleischer beschwatzt hatte, bis einem die Wangen brannten im stillen Vorwurf der Knauserei, die solch ein Herumfeilschen mit sich brachte. Dreimal zählte Della nach. Ein Dollar und siebenundachtzig Cent. Und morgen war Weihnachten.

Da blieb einem nichts anderes, als sich auf die schäbige kleine Chaise zu werfen und zu heulen. Das tat Della. Was zu der moralischen Betrachtung reizt, das Leben bestehe aus Schluchzen, Schniefen und Lächeln, vor allem aus Schniefen.

Während die Dame des Hauses allmählich von dem ersten Zustand in den zweiten übergeht, werfen wir einen Blick auf das Heim. Eine möblierte Wohnung für acht Dollar die Woche. Sie war nicht gerade bettelhaft zu nennen; höchstens für jene Polizisten, die speziell auf Bettler gehetzt werden.

Unten im Hausflur war ein Briefkasten, in den nie ein Brief fiel, und ein Klingelknopf, dem keines Sterblichen Finger je ein Klingelzeichen entlocken konnte. Dazu gehörte auch eine Karte, die den Namen »Mr. James Dillingham jr.« trug. Das »Dillingham« war in einer früheren Zeit der Wohlhabenheit, als der Eigentümer dreißig Dollar die Woche verdiente, hingepfeffert worden. Jetzt, da das Einkommen auf zwanzig Dollar zusammengeschrumpft war, wirkten die Buchstaben des »Dillingham« verschwommen, als trügen sie sich allen Ernstes mit dem Gedanken, sich zu einem bescheidenen und anspruchslosen D zusammenzuziehen. Aber wenn Mr. James Dillingham jr. nach Hause und oben in seine Wohnung kam, wurde er »Jim« gerufen und von Mrs. James Dillingham jr., die bereits als Della vorgestellt wurde, herzlich umarmt. Was alles sehr schön ist.

Della hörte auf zu weinen und fuhr mit der Puderquaste über ihre Wangen. Sie stand am Fenster und blickte trübselig hinaus auf eine graue Katze, die auf einem grauen Zaun in einem grauen Hinterhof spazierte. Morgen war Weihnachten, und sie hatte nur einen Dollar siebenundachtzig, um für Jim ein Geschenk zu kaufen. Monatelang hatte sie jeden Penny gespart, wo sie nur konnte, und dies war das Resultat. Zwanzig Dollar die Woche reichen nicht weit. Die Ausgaben waren größer gewesen, als sie gerechnet hatte. Das ist immer so. Nur einen Dollar siebenundachtzig, um für Jim ein Geschenk zu kaufen. Für ihren Jim. So manche glückliche Stunde hatte sie damit verbracht, sich etwas Hübsches für ihn auszudenken. Etwas Schönes, Seltenes, Gediegenes – etwas, was annähernd der Ehre würdig war, Jim zu gehören. Zwischen den Fenstern stand ein Trumeau. Vielleicht haben Sie schon einmal einen Trumeau in einer möblierten Wohnung zu acht Dollar gesehen. Ein sehr dünner und beweglicher Mensch kann, indem er sein Spiegelbild in einer raschen Folge von Längsstreifen betrachtet, eine ziemlich genaue Vorstellung von seinem Aussehen erhalten. Della war eine schlanke Person und beherrschte diese Kunst.

Plötzlich wirbelte sie von dem Fenster fort und stand vor dem Spiegel. Ihre Augen glänzten und funkelten, aber ihr Gesicht hatte in zwanzig Sekunden die Farbe verloren.

Flink löste sie ihr Haar und ließ es in voller Länge herabfallen.

Zwei Dinge besaßen die James Dillinghams jr., auf die sie beide unheimlich stolz waren. Das eine war Jims goldene Uhr, die seinem Vater und davor seinem Großvater gehört hatte. Das andere war Dellas Haar. Hätte die Königin von Saba in der Wohnung jenseits des Luftschachts gelebt, dann hätte Della eines Tages ihr Haar zum Trocknen aus dem Fenster gehängt, um Ihrer Majestät Juwelen und Vorzüge im Wert herabzusetzen. Wäre König Salomo der Portier gewesen und hätte all seine Schätze im Erdgeschoß aufgehäuft, Jim hätte jedesmal seine Uhr gezückt, wenn er vorbeigegangen wäre, bloß um zu sehen, wie sich der andere vor Neid den Bart raufte.

Jetzt floß also Dellas Haar wellig und glänzend an ihr herab wie ein brauner Wasserfall. Es reichte bis unter die Kniekehlen und umhüllte sie wie ein Gewand. Nervös und hastig steckte sie es wieder auf. Einen Augenblick taumelte sie und stand ganz still, während ein paar Tränen auf den abgetretenen Teppich fielen.

Die alte braune Jacke angezogen, den alten braunen Hut aufgesetzt, und mit wehenden Röcken und immer noch das helle Funkeln in den Augen schoß sie zur Tür hinaus und die Treppe hinab auf die Straße.

Wo sie stehenblieb, lautete das Firmenschild *Mme. Sofronie. Alle Sorten Haarersatz.* Della rannte die Treppe hinauf und versuchte atemschöpfend, sich zu sammeln. Madame, groß, zu weiß und frostig, sah kaum nach »Sofronie« aus.

»Wollen Sie mein Haar kaufen?« fragte Della.

»Ich kaufe Haar«, sagte Madame. »Nehmen Sie den Hut ab, damit wir es einmal ansehen können.«

Der braune Wasserfall stürzte in Wellen herab.

»Zwanzig Dollar«, sagte Madame, mit kundiger Hand die Masse anhebend.

»Geben Sie nur schnell her«, sagte Della.

Oh, und die nächsten beiden Stunden trippelten auf rosigen Schwingen. Nehmen Sie es nicht so genau mit der zerhackten Metapher. Sie durchwühlte die Läden nach dem Geschenk für Jim.

Schließlich fand sie es. Bestimmt war es für Jim und für niemand sonst gemacht. Keins gab es in den Läden, das diesem glich, und sie hatte in allen das Oberste zuunterst gekehrt. Es war eine Uhrkette aus Platin, einfach und edel im Dessin, die ihren Wert auf angemessene Weise durch das Material und nicht durch eine auf den Schein berechnete Verzierung offenbarte – wie es bei allen guten Dingen sein sollte. Sie war sogar *der Uhr* würdig. Kaum hatte sie die Kette erblickt, als sie auch schon wußte, daß sie Jim gehören müsse. Sie war wie er. Überlegene Ruhe und Wert – das paßte auf beide. Einundzwanzig Dollar nahm man ihr dafür ab, und mit den siebenundachtzig Cent eilte sie nach Hause. Mit dieser Kette an der Uhr konnte Jim wirklich in jeder Gesellschaft um die Zeit besorgt sein. So großartig die Uhr war, manchmal blickte er wegen des alten Lederriemchens, das er an Stelle einer Kette benutzte, nur verstohlen nach ihr.

Als Della zu Hause angelangt war, wich ihr Rausch ein wenig der Vorsicht und der Vernunft. Sie holte ihre Brennschere heraus, zündete das Gas an und machte sich ans Werk, die Verheerungen auszubessern, die von Freigebigkeit in Verein mit Liebe angerichtet worden waren. Was stets eine gewaltige Aufgabe ist, liebe Freunde – eine Mammutaufgabe.

Nach vierzig Minuten war ihr Kopf dicht mit kleinen Löckchen bedeckt, mit denen sie wundervoll aussah, wie ein schwänzender Schuljunge. Lange, sorgfältig und kritisch betrachtete sie ihr Spiegelbild.

»Wenn mich Jim nicht umbringt, bevor er mich ein zweites Mal ansieht, wird er sagen, ich sehe aus wie ein Chormädel von Coney Island«, meinte sie bei sich. »Aber was – oh, was hätte ich denn mit einem Dollar siebenundachtzig anfangen sollen?«

Um sieben war der Kaffee gekocht, und die Bratpfanne stand hinten auf der Kochmaschine, heiß und bereit, die Koteletts zu braten.

Jim verspätete sich nie. Della ließ die Uhrkette in ihrer Hand verschwinden und setzte sich auf die Tischkante nahe der Tür, durch die er immer eintrat. Dann hörte sie seinen Schritt auf der Treppe, unten, auf den ersten Stufen, und wurde einen Augenblick blaß. Sie hatte sich angewöhnt, wegen der einfachsten Alltäglichkeiten stille kleine Gebete zu murmeln, und jetzt flüsterte sie: »Bitte, lieber Gott, mach, daß er mich noch hübsch findet.«

Die Tür öffnete sich. Jim trat ein und schloß sie. Er sah mager und sehr feierlich aus. Armer Junge, er war erst zweiundzwanzig – und schon mit Familie belastet! Er brauchte einen neuen Mantel und hatte auch keine Handschuhe.

Jim blieb an der Tür stehen, reglos wie ein Vorstehhund, der eine Wachtel ausgemacht hat. Seine Augen waren auf Della geheftet, und ein Ausdruck lag in ihnen, den sie nicht zu deuten vermochte und der sie erschreckte. Es war weder Ärger noch Verwunderung, weder Mißbilligung noch Abneigung, noch überhaupt eins der Gefühle, auf die sie sich gefaßt gemacht hatte. Er starrte sie nur unverwandt an mit diesem eigentümlichen Gesichtsausdruck.

Della rutschte langsam vom Tisch und ging zu ihm.

»Jim, Liebster«, rief sie, »sieh mich nicht so an. Ich

hab mein Haar abschneiden lassen und verkauft, weil ich Weihnachten ohne ein Geschenk für dich nicht überlebt hätte. Es wird wieder wachsen – du nimmst es nicht tragisch, nicht wahr? Ich mußte es einfach tun. Mein Haar wächst unheimlich schnell. Sag mir fröhliche Weihnachten, Jim, und laß uns glücklich sein. Du ahnst nicht, was für ein hübsches, was für ein schönes, wunderschönes Geschenk ich für dich bekommen habe.«

»Du hast dein Haar abgeschnitten?« fragte Jim mühsam, als könne er selbst nach schwerster geistiger Arbeit nicht an den Punkt gelangen, diese offenkundige Tatsache zu begreifen.

»Abgeschnitten und verkauft«, sagte Della. »Hast du mich jetzt nicht noch ebenso lieb? Ich bin auch ohne mein Haar noch dieselbe, nicht wahr?«

Jim blickte neugierig im Zimmer umher.

»Du sagst, dein Haar ist weg?« bemerkte er mit nahezu idiotischem Gesichtsausdruck.

»Du brauchst nicht danach zu suchen«, sagte Della. »Ich sag dir doch, es ist verkauft – verkauft und weg. Heute ist Heiligabend, Jungchen. Sei nett zu mir, denn es ist ja für dich weg. Vielleicht waren die Haare auf meinem Kopf gezählt«, fuhr sie mit einer jähen, feierlichen Zärtlichkeit fort, »aber nie könnte jemand meine Liebe zu dir zählen. Soll ich die Koteletts aufsetzen, Jim?«

Jim schien im Nu aus seiner Starrheit zu erwachen. Er umarmte seine Della. Wir wollen inzwischen mit diskreten Forscherblicken zehn Sekunden lang eine an sich unwichtige Sache in anderer Richtung betrachten. Acht Dollar die Woche oder eine Million im Jahr – was ist der Unterschied? Ein Mathematiker oder ein Witzbold würden uns eine falsche Antwort geben. Die Weisen brachten wertvolle Geschenke, aber dies war nicht darunter. Diese dunkle Behauptung soll später erläutert werden.

Jim zog ein Päckchen aus der Manteltasche und warf es auf den Tisch.

»Täusch dich nicht über mich, Dell«, sagte er. »Du darfst nicht glauben, daß so etwas wie Haare schneiden oder stutzen oder waschen mich dahin bringen könnte, mein Mädchen weniger liebzuhaben. Aber wenn du das Päckchen auspackst, wirst du sehen, warum du mich zuerst eine Weile aus der Fassung gebracht hast.«

Weiße Finger rissen hurtig an der Strippe und am Papier. Und dann ein verzückter Freudenschrei, und dann – ach! – ein schnelles weibliches Hinüberwechseln zu hysterischen Tränen und Klagen, die dem Herrn des Hauses den umgehenden Einsatz aller Trostmöglichkeiten abforderten.

Denn da lagen *die Kämme* – die Garnitur Kämme, die Della seit langem in einem Broadway-Schaufenster angeschmachtet hatte. Wunderschöne Kämme, echt Schildpatt mit juwelenverzierten Rändern – gerade in der Schattierung, die zu dem schönen, verschwundenen Haar gepaßt hätte. Es waren teure Kämme, das wußte sie, und ihr Herz hatte nach ihnen gebettelt und gebarmt, ohne die leiseste Hoffnung, sie je zu besitzen. Und nun waren sie ihr eigen; aber die Flechten, die der ersehnte Schmuck hätte zieren sollen, waren fort. Doch sie preßte sie zärtlich an die Brust und war schließlich so weit, daß sie mit schwimmenden Augen und einem Lächeln aufblicken und sagen konnte:

»Mein Haar wächst so schnell, Jim!«

Und dann sprang Della auf wie ein gebranntes Kätzchen und rief: »Oh, oh!«

Jim hatte ja noch nicht sein schönes Geschenk gesehen. Ungestüm hielt sie es ihm auf der geöffneten Hand entgegen. Das leblose, kostbare Metall schien im Abglanz ihres strahlenden, brennenden Eifers zu blitzen.

»Ist die nicht toll, Jim? Die ganze Stadt hab ich danach

abgejagt. Jetzt mußt du hundertmal am Tag nachsehen, wie spät es ist. Gib mir die Uhr. Ich möchte sehen, wie sich die Kette dazu macht.«

Statt zu gehorchen, ließ er sich auf die Chaiselongue fallen, legte die Hände im Nacken zusammen und lächelte.

»Dell«, sagte er, »wir wollen unsere Weihnachtsgeschenke beiseite legen und eine Weile aufheben. Sie sind zu hübsch, um sie jetzt schon in Gebrauch zu nehmen. Ich habe die Uhr verkauft, um das Geld für die Kämme zu haben. Wie wäre es, wenn du die Koteletts braten würdest?«

Die Weisen waren, wie ihr wißt, weise Männer – wunderbar weise Männer –, die dem Kind in der Krippe Geschenke brachten. Sie haben die Kunst erfunden, Weihnachtsgeschenke zu machen. Da sie weise waren, waren natürlich auch ihre Geschenke weise und hatten vielleicht den Vorzug, umgetauscht werden zu können, falls es Dubletten gab. Und hier habe ich euch nun schlecht und recht die ereignislose Geschichte von zwei törichten Kindern in einer möblierten Wohnung erzählt, die höchst unweise die größten Schätze ihres Hauses füreinander opferten. Doch mit einem letzten Wort sei den heutigen Weisen gesagt, daß diese beiden die weisesten aller Schenkenden waren. Von allen, die Geschenke geben und empfangen, sind sie die weisesten. Überall sind sie die weisesten. Sie sind die wahren Weisen.

Oskar Maria Graf
Die Weihnachtsgans

m Weihnachtssonntag gegen Viertel nach zehn Uhr in der Frühe ereignete sich in einem Gäßchen der Altstadt ein schier unglaublicher Vorfall: Leute, die vom Hochamt heimgingen und an dem Hause Nummer 18 vorüberkamen, glotzten plötzlich in die Höhe, riefen jäh ein angehacktes »Oho! Oho!«, hielten sich alsdann den Kopf, wichen entsetzt zurück, blieben starr stehen, schauten abermals wortlos in die Höhe und bildeten im nächsten Augenblick einen heftig gestikulierenden, wild ineinanderschimpfenden Ring empörter Zeitgenossen.

»Also, da hört sich doch alles auf! Also da – das ist–«, plärrte der Metzgermeister Heinagl mit seiner krachenden Stimme, wurde aber sogleich von den keifenden Weibern überschrien, so daß man nur noch die unzusammenhängenden Worte verstehen konnte: »Unverschämtheit, so was! Schweinerei! – Glatt aufhängen sollt' man's.«

Und nieder beugten sich alle zugleich. Der Lärm wurde immer ärger. »Andere wissen nicht, wo sie ein Stückl Brot hernehmen soll'n!« wurde verständlich. »Hundsbande, miserablige! Polizei! Wo ist da die Polizei?« schmetterte Heinagl zwischenhinein, und aus den Fenstern des Hauses, von gegenüber, von oben und unten reckten die Köpfe.

»Jaja, ja, jetzt so was! Ja«, riefen etliche baff, und ein Schimpfen und Streiten erfüllte die enge Gasse, Beleidigungen flogen herum wie aufgescheuchte Fledermäuse. Endlich kam ein Schutzmann im Eilschritt daher. Der Ring auf dem Pflaster zerteilte sich und machte Platz.

»Da! Da schauen S' bloß, Herr Wachtmeister! Also so eine Bande gehört doch glatt eingesperrt! Erschlagen–«, erhitzte sich der Metzgermeister, und alle waren seiner Meinung.

Was war eigentlich geschehen? Kurz gesagt, dies: Jemand aus dem Haus Nummer 18 hatte eine wunderbar fette, gerupfte, bratfertige Gans aus dem Fenster geworfen. Die lag jetzt, aufgeplatzt und leicht ramponiert, auf dem Pflaster. Eine Gans, notabene, die, wie der Wachtmeister nach schneller Prüfung feststellte, absolut frisch, zart und zum Anbeißen appetitlich war!

Eine solche Kostbarkeit zu so einer Zeit wie der heutigen, wo Tausende elendiglich hungern müssen, die hatte jemand ganz frech – nicht auszudenken –!

Der Ring auf der Gasse wurde immer größer, wilder und wirrer. Vorn von der breiten Straße kamen massenhaft Neugierige dahergelaufen. Das Schimpfen und Plärren schwoll und schwoll. Der Wachtmeister packte kurzerhand die nackte Gans an den zwei zusammengebundenen Hinterschenkeln und trat martialisch in das Haus Nummer 18. Er klopfte an jede Tür und fragte immer gleicherweise: »Ist die Gans von Ihnen? Haben Sie–« Die mitgelaufenen Leute hinter ihm schauten mit Fangaugen und wahren Lynchgelüsten auf die in der Tür Auftauchenden.

»Wir? Ausgeschlossen! Nein!« war stets die gleiche Antwort, und alsdann flog die Tür zu. Das grollende Schimpfen und Trappen stieg höher. Parterre konnte es nicht gewesen sein, im ersten Stock, beim Steuerschreiber Wengerl, gab es ausnahmsweise Schweinebraten, im zweiten Stock, beim Zigarrenhändler Aubichler, roch man schon von weitem das Kraut und im vierten Stock...?

»Wohnt denn da überhaupt noch wer droben?« erkundigte sich der Wachtmeister und schaute an den muffigen, dunklen, rissigen Wänden hoch.

»Jaja, wohnen schon, aber von dem wird's sicher nicht sein. Der ist ja schon zwei Jahre arbeitslos«, gab Aubichler Auskunft. Es klang gar nicht freundlich. Schon wollte der Wachtmeister mit seinem Gefolge unverrichteterdinge gehen, gab sich aber doch einen Ruck und stieg hinauf zum verwahrlosten Speicherbereich. Rechts eine Tür, darauf stand: »Betreten des Speichers mit offenem Licht verboten«, und links eine. Kein Klingelknopf, kein Schild mit dem Namen des Inwohners.

Etwas benommen standen die rebellischen Menschen auf der Stiege. Der Wachtmeister klopfte einmal, klopfte zweimal, klopfte zum drittenmal und sagte schließlich beamtenhaft scharf: »Aufmachen! Polizei!«

An der Tür erschien endlich ein völlig verschlampter, zaundürrer Mensch mit verhedderten Bartstoppeln, hohlen, finsteren Augen und einem Gesicht wie abgenagt. »Gehört vielleicht Ihnen die Gans? Haben Sie ...«, fragte der Wachtmeister bedeutend unsicherer und hielt die nackte Gans hin. Die hinter ihm stehenden Menschen hielten fast den Atem an, denn der Mann gab ohne Umschweife zu: »Ja, ich hab' sie zum Fenster 'nuntergeschmissen! Jawohl – ich!« Sekundenlang blieb es stockstumm.

»Sie? Wa-as? Sie?« faßte sich der Wachtmeister als erster und bekam sofort eine steinerne Amtsmiene: »Tja, was ist denn das für ein Unfug!« Er trat durch die Tür, und die Leute drängten nach.

Zuerst kam ein schmaler, dunkler, muffiger Gang. Der Wachtmeister riß eine Tür auf, und es wurde heller. Da war eine kalte, leere Mansarde mit schrägen Wänden und dickgefrorenen Fenstern, durch welche ein spärliches, bleiches Licht fiel. Auf der einen Seite stand eine durchgesackte Metallbettstelle, darauf lag ein undefinierbarer Berg von Decken und Lumpen. Neben dem Bett stand ein einziger Stuhl, auf dem sich ein dreckiger Aschenbecher mit einer angerauchten Pfeife befand.

Auf der anderen Seite des Raumes war ein zersprungener, niederer, runder eiserner Ofen, den selbst zu frieren schien. Sonst gar nichts. Verkohlte Zeitungspapierfetzen, Tabakasche und abgebrannte Streichhölzer lagen auf dem Boden herum. Eine schmale Tür stand offen. Durch sie sah man ein finsteres Loch, aus dem ein gleichmäßiges Wassertropfen drang.

»Wenn der Herr Wachtmeister sich vielleicht überzeugen wollen... Ich meine, wegen dem Tatbestand... Da drinnen ist meine ›Küche‹«, sagte der Mann ironisch und deutete auf die Tür. Noch spöttischer setzte er dazu. »Ist aber weiter nicht interessant. Gas abgesperrt, aber das Wasser läuft noch. Ich hab leider kein Streichholz, aber, Herr Wachtmeister, wenn Sie eins haben, bitte!« Seine hämische Sicherheit und die unerwartet trostlose Umgebung machten den Wachtmeister und die Leute, die gefolgt waren, verlegen. Der Metzgermeister Heinagl zündete ein Streichholz an. Alle reckten die Köpfe in das Loch von einer Küche. Gar nichts war drinnen als ein Ausguß mit einem tropfenden Wasserhahn, auf dem Boden ein verrosteter Spirituskocher und eine aufgerissene Schachtel mit fettigem Papier. Ein schrecklich armseliger Modergestank herrschte in diesem Loch.

»Hm, pfui Teufel!« machte der Metzgermeister Heinagl und wandte sich angeekelt ab. Das abgebrannte Streichholz fiel ihm aus der Hand und verglomm auf dem Boden. Wieder stockte es. Niemand konnte etwas sagen.

Der Wachtmeister räusperte sich und fragte endlich: »Woher haben Sie die Gans?«

Der Befragte verzog höhnisch den Mund und antwortete frech: »Wo ich die her hab'? Hm, Sie werden lachen. Ich bin dazu gekommen wie die Jungfer zum Kind, Herr

Wachtmeister! Ganz unverhofft sozusagen. Weitschichtige Verwandte haben mir was Gutes antun wollen. Grad vor einer Stunde hat die Post das Packerl gebracht. Da drinnen liegt noch die Schachtel, da ist der Postabschnitt, wenn Sie sich vielleicht überzeugen wollen, Herr Wachtmeister, bitte!«

Er zeigte den Postabschnitt und verzog sein Gesicht zu einem leichten Grinsen. Wieder schwiegen ihn alle an.

»Hm, hm! Seltsam, so was, seltsam!« murmelten etliche. Auch der Polizist schüttelte den massigen Kopf.

»Jaja, seltsam, nicht wahr? Komisch?« wandte sich der Mann an die Leute.

»Und was sollte ich nun eigentlich mit dem Vieh machen, meine Herrschaften? Mit jedem im Haus bin ich verfeindet. Der Hauswirt möcht' mich schon seit einem Vierteljahr rausschmeißen. Kein Gas, keine Kohlen, kein Holz... Na, und da schicken einem so nette Verwandte auf einmal eine Gans, hm...!«

»Aber da wirft man doch nicht alles gleich zum Fenster hinaus. Das ist doch einfach aufreizend!« fiel ihm der Wachtmeister ins Wort und kam in ein gutmütiges Poltern: »So was tut man doch nicht! Außerdem«, er schien auf einen Gedanken gekommen zu sein, »außerdem, die Gans könnten Sie doch schließlich verkaufen...« – »Verkaufen? Hm, wem denn? Am zweiten Weihnachtsfeiertag, wo sich schon jeder eingedeckt hat...? Ich hab' keine Bekannten«, erwiderte der Mann mit dem Stoppelbart und verfiel wieder ins leichte Spötteln: »Schön gesagt, so was, Herr Wachtmeister, aber wenn man halt so ein Pechvogel ist, wissen Sie, da hilft alles nichts.« Schon aber – er sah es gar nicht – schon musterten etliche Leute die Gans mit Kennerblicken. Die Augen rundum wurden interessierter.

Der Wachtmeister erfaßte schnell die Situation und

wandte sich an die Umstehenden: »Will vielleicht von den Herrschaften jemand die Gans kaufen?«

»Billig!« setzte der Besitzer dazu.

Jetzt wachten die Leute ganz auf. Schnüffelnd musterten sie die Beute. Sie drängten sich heran und jeder betappte und betastete die nackte, kalte Gans beinahe gierig. »Ein fettes Bröckerl!... Was soll's denn kosten?« fand Heinagl als erster das Wort. Er schob seine dicke Hand unter die Gans und wog sie fachmännisch.

Der Besitzer besann sich einen Augenblick. Offenbar hatte er keine Ahnung, was er verlangen sollte. »Sechs Mark! Sechs sofort!« sagte Heinagl.

Aber schon rief ein anderer: »Sieben geb' ich, sieben!«

»Ich geb' acht«, rief jemand. Durch das lange Verweilen der Leute angelockt, waren die Inwohner des Hauses in die Mansarde gekommen.

»Ich zahl achtfünfzig! Da, mein letztes Wort, da, sofort Herr Nieringer!« rief der Zigarrenhändler Aubichler, »wir sind doch Nachbarn sozusagen.«

Das klang, wiewohl er Nieringers böser Feind war, ungemein warm auf einmal.

»Neun! Neun, sofort!« erhitzte sich Heinagl und zog schon seine Geldbörse.

Da wurde der Aubichler herzhafter und drängte sich vor: »Herr Nieringer, ich will Ihnen was sagen –«

»Da, Herr! Neun Mark, da... mir gehört sie: da!« fuhr Heinagl dazwischen.

Doch Aubichler ließ sich nicht verdrängen. Er sah dem stoppelbärtigen Menschen in die Augen und redete weiter: »Geben Sie's mir, Herr Nieringer, wir braten sie, und für Sie soll auch was abfallen, bitte...« Er schnitt ein ungewohnt mildtätiges Gesicht und fing zu lamentieren an, warum er denn nichts gesagt habe, der Herr Nieringer, man hätte ihm doch geholfen. Sauersüß setzte er hinzu: »Wir sind doch nicht feind miteinander, Herr Nieringer, na ja, man hat halt Meinungsverschiedenheiten...« Flehend klang's fast. Alle Anrempelungen von ehemals, alle Reibereien schienen verflogen. Das gute Nachbarherz stand weit offen.

»Neunfünfzig, so basta, Herr! Da ist mein Geld! Mir muß sie gehören, die Gans!« überschrie ihn Heinagl ungeduldig und war wieder an erster Stelle. Er trompetete weiter mit bester Biederkeit: »Das ist sogar überzahlt, aber ich will einem armen Menschen auch was zukommen lassen! Da, Herr, Sie sollen sich auch einen guten Tag machen können! Da... sechs, höchstens sieben Pfund wiegt die Gans!« Er griff schon danach und hatte das Geld parat.

»Sechs, sieben Pfund...? Oha, das sind gutding ihre acht bis neun Pfund«, zweifelte eine aufgedonnerte Frau, »Herr, wenn Sie wollen, ich zahl' Ihnen acht Mark und mitessen können Sie auch, bittschön!«

»Zehn Mark, Herrgott! Zehn!« schrie nun Heinagl vollkommen erbost und überrumpelte alle.

Der Herr Nieringer lächelte dünn, der Wachtmeister ebenso.

Er reichte Heinagl die Gans, und wieder schwieg es, dann begann ein leichtes Murren. Der Metzgermeister packte die Gans und schob sie unter seinen Arm: »Da können Sie sich einen guten Tag machen, Herr... Ich bin nicht so! Für einen armen Menschen hab' ich immer schon ein Herz gehabt!« Sein erregtes Gesicht war hochrot, er wandte sich zum Gehen.

»Na, sehen Sie, ist ja alles noch gut gegangen« schloß der Wachtmeister und sah den zaundürren, unschlüssig dastehenden Menschen an. Alles stapfte mit ihm zur Türe hinaus und polterte über die Treppe hinunter.

»Na, also das ist Übervorteilung ... Wenn die Gans nicht ihre zehn, elf Pfund wiegt, heiß' ich Hans! Gutding wiegt's ihre zehn«, brummte der Zigarrenhändler Aubichler, und die aufgedonnerte Frau stimmte ihm beleidigt zu. Aber das hörte niemand mehr. Der Metzgermeister Heinagl war schon unten. Er schaute sich nicht mehr um.

Der Arbeitslose Nieringer machte sich wirklich einen guten Tag und schrieb am andern Morgen seinen mildtätigen Verwandten auf dem Lande den wahrheitsgetreuen Bericht. Sehr ironisch lasen sich die Zeilen. Die Spender der Gans, Oberapothekersleute Querlinger in Aglfing, waren sehr empört. »Da hat man's wieder einmal. Lauter Lumpen, diese Burschen ...!« schimpfte der Oberapotheker, »essen wollen sie gar nicht, bloß Geld zum Verjubeln!« Und er murrte seine Frau an »wegen ihrem saudummen, guten Herzen«.

Der Metzgermeister Heinagl hingegen wog die Gans sofort, als er zu Hause angekommen war. Fast zwölf Pfund war sie schwer. Er pfiff durch seine Zähne. Und als er später das Prachtstück mit vollstem Appetit im Kreise seiner Angehörigen verzehrte, da brach wirklich sein Herz durch.

»Herrgott, eine Not ist das, Zenzl! Eine solche Not ... Man macht sich keinen Begriff davon!« beteuerte er gerührt. Seine Augen verschwammen dabei, er hielt mit beiden Händen einen saftigen Gansschenkel, rechts und links aus seinen Mundwinkeln troff es köstlich ...

William Saroyan
Drei Tage nach Weihnachten

onald Efaw, der sechs Jahre alt war und drei Monate, stand an der Ecke, wo die 37. Straße in die 3. Avenue einmündet. Er solle einen Augenblick hier warten, so hatte ihm sein verärgerter Vater Harry vor einer Stunde gesagt und war in den Laden gegangen um einen Saft für Alice, die krank zu Bett lag und hustete und weinte. Alice war drei Jahre alt, und die ganze Nacht hatte keiner ein Auge zugetan wegen Alice. Das wurde Donalds reizbarem Vater Harry zuviel, und Mama mußte es ausbaden.

Mamas Name war Mabelle. »Ich hieß Mabelle Louisa Atkins, bevor ich Harry Efaw heiratete«, hatte seine Mutter einmal zu einem Mann gesagt, der gekommen war, um eine Fensterscheibe in der Küche einzusetzen. »Mein Mann hat mütterlicherseits indianisches Blut in den Adern, ich vom Vater. Fernandez klingt eher spanisch oder mexikanisch als indianisch, aber mein Vater war Halbindianer. Wir haben jedoch nie unter Indianern gelebt, wie das einige Mischlinge tun. Wir wohnten immer in Städten.«

Der Junge trug Überziehhosen und einen alten karierten Mantel, den sein Vater abgelegt hatte und den Donald noch hätte tragen können, wäre er nicht viel zu groß gewesen für ihn. Sie hatten einfach nur die Ärmel abgeschnitten, wo Donalds Hände waren, und sonst nichts. Die Taschen waren tief unten und unerreichbar für den Jungen, und so rieb er unaufhörlich die Hände, um sie warm zu halten. Es war jetzt elf Uhr morgens.

Donalds Vater war hier hineingegangen, und jeden Augenblick würde er herauskommen, und dann würden sie nach Hause gehen, und Mama würde Alice von dem Zeug geben – Milch und Medizin –, und sie würde aufhören zu weinen und zu husten, und Mama und Papa würden sich nicht länger streiten.

Das Lokal gehörte Haggerty. Man konnte an der Ecke hineingehen oder von der Seitenstraße her. Schon fünf Minuten nach zehn war Harry Efaw durch den Nebenausgang auf die 37. Straße hinausgetreten. Er hatte den Jungen an der Ecke nicht vergessen, er wollte nur eine kleine Weile für sich sein und ihn nicht sehen und auch nicht die anderen. Er hatte einen kleinen Korn getrunken, der war zu teuer gewesen, und das war alles. Er hatte einen Vierteldollar gekostet, und das war entschieden zuviel für einen Korn. So hatte er das Zeug hastig hinuntergestürzt und war hinausgeeilt und fortgegangen, und er wollte dann nach einigen Minuten dorthin zurückkehren, wo der Junge stand, die Milch und die Medizin kaufen, dann würden sie stracks nach Hause gehen und sehen, was sie mit Alice tun könnten. Aber dann war er plötzlich weitergegangen, einfach weiter.

Endlich ging Donald hinein. Er sah, daß hier nichts so war wie in den Läden, in denen er bisher gewesen war. Der Mann in dem weißen Kittel sah ihn an und sagte: »Hier darfst du nicht hinein. Marsch und nach Hause!«

»Wo ist mein Vater?«

»Ist der Vater dieses Jungen hier?« rief der Mann, und alle in diesem Raum, es waren sieben Männer, drehten sich um und schauten auf den Jungen. Aber sie schauten nur einen Augenblick herüber, dann wandten sie sich wieder den Gläsern zu, die vor ihnen auf den Tischen standen, und die, welche sich unterhalten hatten, setzten ihre Gespräche fort.

»Wer es auch immer sei«, sagte der Mann, »dein Vater ist nicht hier.«

»Harry«, sagte Donald. »Harry Efaw.«

»Ich kenne niemanden, der Harry Efaw heißt. Nun geh aber endlich nach Hause.«

»Er sagte mir, ich solle draußen einen Augenblick warten.«

»Ja, ich weiß. Es kommen so viele hier herein, trinken einen und gehen wieder hinaus. So wird er's auch gemacht haben. Wenn er dir gesagt hat, du sollst draußen warten, dann solltest du das tun. Hier kannst du nicht bleiben.«

»Es ist so kalt draußen.«

»Ich weiß, daß es draußen kalt ist«, sagte der Barmann. »Aber hier kannst du nicht bleiben. Warte draußen, wie dir dein Vater gesagt hat, oder geh nach Hause.«

»Ich weiß nicht wie«, sagte der Junge.

»Kennst du eure Adresse?«

Offenbar verstand der Junge die Frage nicht, so versuchte es der Barmann anders.

»Kennst du die Hausnummer und den Namen der Straße?«

»Nein. Wir sind zu Fuß gekommen. Wir wollten Medizin für Alice kaufen.«

»Ja, ich weiß«, sagte der Barmann ruhig. »Und ich weiß auch, daß es draußen kalt ist, aber dennoch mußt du jetzt verschwinden. So kleine Jungen wie dich darf ich hier nicht hereinlassen.«

Ein kränklich aussehender Mann von etwa sechzig Jahren, der mehr als nur angetrunken und halb tot war, stand von seinem Tisch auf und ging zu dem Barmann hinüber.

»Ich will den Jungen gern nach Hause bringen, wenn er mir den Weg zeigen kann.«

»Setzen Sie sich hin«, sagte der Barmann, »der Junge weiß den Weg nicht.«

»Vielleicht weiß er ihn doch«, sagte der Mann. »Ich habe selbst Kinder gehabt, und die Straße ist nicht der rechte Ort für kleine Jungen. Ich will ihn gern zu seiner Mutter bringen.«

»Ich weiß«, sagte der Barmann. »Aber nun gehen Sie und setzen Sie sich endlich wieder.«

»Komm, ich bringe dich nach Hause, Kleiner«, sagte der alte Mann.

»Nun setzen Sie sich endlich!« Die Stimme des Barmanns wurde hart und fordernd. Erstaunt drehte sich der alte Mann um.

»Für wen halten Sie mich eigentlich?« sagte er leise. »Der Junge hat Angst und ist durchgefroren und braucht seine Mutter.«

»Wollen Sie sich endlich hinsetzen?« sagte der Barmann. »Ich weiß alles über den Jungen. Und Sie sind nicht der Mann, um ihn nach Hause zu seiner Mutter zu bringen.«

»Aber einer muß ihn schließlich nach Hause bringen«, sagte der alte Mann ruhig, und dann rülpste er. Der Barmann musterte ihn von oben bis unten. Das Zeug, das er auf dem Leibe trug, war von der Art, wie es Wohltätigkeitsvereine an Bedürftige verteilen. Wahrscheinlich hatte er noch dreißig oder vierzig Cents in der Tasche, das reichte für ein Bier, und sicherlich hatte er das Geld zusammengebettelt.

»Es ist der dritte Tag nach Weihnachten«, fuhr der alte Mann fort. »Es ist noch nicht so lange nach Weihnachten, daß irgendeiner von uns das Recht hätte zu vergessen, daß hier ein kleiner Junge nach Hause gebracht werden muß.«

»Was ist los?« fragte ein anderer Trinker von seinem Stuhle aus.

»Gar nichts ist los«, sagte der Barmann. »Der Vater dieses Jungen sagte ihm, er solle draußen auf ihn warten, das ist alles.« Der Barmann drehte sich zu Donald Efaw um. »Wenn du den Weg nach Hause nicht weißt, dann warte gefälligst draußen, wie dir dein Vater gesagt hat. Du wirst schon sehen, er wird bald zurück sein und dich zur Mama bringen. Nun geh schon raus.«

Der Junge ging hinaus und stand wieder da, wo er schon mehr als eine Stunde gestanden hatte. Der alte Mann wollte dem Jungen folgen. Der Barmann schwang sich über den Schanktisch, erreichte den alten Mann noch an der Schwingtür, packte ihn bei den Schultern, drehte ihn um und brachte ihn zu seinem Stuhl zurück.

»Nun setzen Sie sich«, sagte er ruhig. »Vergessen Sie den Jungen und behalten Sie Ihre Gefühle für sich. Ich werde schon dafür sorgen, daß ihm nichts passiert.«

»Wofür halten Sie mich eigentlich?« sagte der alte Mann wieder.

Indem der Barmann, ein gedrungener Ire in den frühen Fünfzigern, von der Schwingtür aus kurz die Straße hinauf- und hinunter schaute, fragte er: »Haben Sie sich einmal im Spiegel beguckt? Sie würden mit dem Jungen an der Hand nicht bis zur nächsten Straßenecke kommen.«

»Warum nicht?« fragte der alte Mann.

»Weil Sie ganz und gar nicht aussehen wie der Vater oder der Großvater oder der Freund eines kleinen Jungen.«

»Ich habe selbst Kinder gehabt«, sagte der alte Mann.

»Ich weiß«, sagte der Barmann. »Aber bleiben Sie sitzen. Einige dürfen nett zu Kindern sein und andere nicht, das ist alles.«

Er kam mit einer Flasche Bier zu dem Tisch des alten Mannes und stellte sie neben das leere Glas.

»Diese Flasche spendiere ich«, sagte er. »Ich darf manchmal nett sein zu alten Leuten, wie Sie es sind, und Sie dürfen nett sein zu Barmännern, wie ich es bin, aber Sie dürfen nicht nett sein zu einem kleinen Jungen, dessen Vater wahrscheinlich hier irgendwo in der Nähe ist. Bleiben Sie einfach sitzen und trinken Sie Ihr Bier.«

»Behalten Sie Ihr dreckiges Bier«, sagte der alte Mann. »Sie können mich in Ihrem dreckigen Lokal nicht festhalten wie einen Gefangenen.«

»Bleiben Sie sitzen, bis der Vater des Jungen kommt und ihn nach Hause bringt, dann können Sie so schnell verschwinden, wie Sie wollen.«

»Ich will aber auf der Stelle hier heraus«, sagte der alte Mann. »Ich habe es nicht nötig, mich von irgendwem in dieser Welt beschimpfen zu lassen. Wenn ich Ihnen ein bißchen über mich erzählte, glaube ich, würden Sie nicht so zu mir sprechen, wie Sie es schon die ganze Zeit über tun.«

»All right«, sagte der Barmann. Er wollte keinen Lärm und kein Aufsehen, und er meinte, er könne den alten Mann im guten davon abbringen, sich noch weiter um den Jungen zu kümmern. »Sagen Sie mir kurz, wer Sie sind, dann werde ich vielleicht anders mit Ihnen reden.«

»Das werden Sie doch nicht tun«, sagte der alte Mann.

Erleichtert sah der Barmann, daß der alte Mann das Bier in sein Glas goß und ein Drittel trank, und dann sagte der alte Mann: »Mein Name ist Algayler, ja, Algayler.« Er tat noch einen Schluck, und der Barmann wartete, daß er weiterspräche. Er stand jetzt am Ende des Schanktisches, so konnte er den Jungen draußen sehen. Der Junge rieb sich die Hände, aber das war alles nicht so schlimm. Er war ein Junge, der an allerlei gewöhnt war, und dieses Warten draußen auf der Straße würde ihm nicht allzuviel ausmachen.

»Algayler«, wiederholte der alte Mann, und er sprach leise weiter. Der Barmann hörte nicht, was er sagte, aber das machte nichts, denn er wußte, der alte Mann würde jetzt vernünftig sein, er war wieder ganz bei sich und an seinem Platz.

Eine Frau, die seit einer Woche etwa jeden Nachmittag in das Lokal kam, betrat den Raum mit einem Foxterrier an der Leine und sagte: »Draußen steht ein kleiner Junge in der Kälte. Zu wem gehört er?«

Die Frau schlug ihre falschen Zähne zusammen, als sie von einem zum andern sah, und der Hund, der in der Wärme auftaute, tanzte um ihre Füße.

»Ist schon alles in Ordnung«, sagte der Barmann. »Sein Vater macht eben eine Besorgung. Er wird sofort zurück sein.«

»Er täte gut daran, sich zu beeilen«, sagte die Frau. »Wenn mich etwas aufregt, dann ist es ein Vater, der seinen Jungen auf der Straße warten läßt.«

»Algayler«, sagte der alte Mann mit lauter Stimme und sah sich nach der Frau um.

»Was sagten Sie da zu mir, Sie versoffener Vagabund?« fragte die Frau. Ihr Hund näherte sich dem alten Mann, er zerrte an der Leine und bellte ein paarmal.

»Gar nichts, Madam«, sagte der Barmann. »Er sagte nur seinen Namen.«

»Wollte ich ihm auch geraten haben«, sagte die Frau und klapperte wieder mit ihrem Gebiß.

Der Hund beruhigte sich etwas, aber tanzte noch immer umher, denn ihm war warm. Er trug das Mäntelchen, das sie ihm bei kaltem Wetter überzog, aber unten an den Füßen fror ihn um so mehr.

Der Barmann goß Bier in ein Glas und stellte es vor die Frau, und sie trank im Stehen. Schließlich stieg sie auf einen Barhocker und vergaß den Jungen und vergaß den Alten, und der Hund stand jetzt ganz ruhig und schaute schnüffelnd in die Runde.

Der Barmann brachte Algayler noch eine Flasche Freibier, und ohne daß ein Wort oder auch nur ein Blick gewechselt wurde, war klar, daß sie sich auf diese Weise ganz gut verstehen würden.

Ein Mann von etwa fünfunddreißig Jahren, der mit seinem Gesicht und seinem säuberlich gestutzten Schnurrbart ganz manierlich aussah, kam von der 37. Straße her herein und bestellte einen Bourbon, und nachdem der Barmann das Getränk eingeschenkt hatte, sagte er so leise, daß kein anderer ihn hören konnte: »Ist das vielleicht Ihr Junge, der da draußen steht?«

Der Mann hatte das Glas schon an die Lippen gehoben, aber als er die Frage hörte, schaute er zu dem Barmann auf, goß Bourbon hinunter und ging ohne ein Wort zum Fenster, um einen Blick auf den Jungen zu werfen. Schließlich kam er zum Schanktisch zurück und schüttelte den Kopf. Er trank noch einen Bourbon, dann ging er hinaus und an dem Jungen vorbei und sah ihn kaum.

Nachdem Algayler auch die zweite Flasche Freibier ausgetrunken hatte, sank er in sich zusammen und döste auf seinem Stuhl, und die Frau mit dem Foxterrier begann, dem Barmann von ihrem Hund zu erzählen.

»Ich habe Tippy seit seiner Geburt«, sagte sie, »und wir sind immer zusammen gewesen. Jede Minute.«

Um Viertel nach zwölf kam ein Mann unter dreißig und halbwegs ordentlich angezogen herein und verlangte einen Johnny Walker Black Label auf Eis mit einem Schluck Wasser darauf, entschloß sich aber noch im selben Augenblick für einen Red Label, und nachdem er getrunken hatte, fragte er: »Wo ist der Fernsehapparat?«

»Haben wir nicht.«

»Kein Fernseher?« fragte der Mann fröhlich. »Komische Bar! Ich wußte nicht, daß es in New York noch eine Bar gibt, die kein Fernsehen hat. Aber was machen die Leute denn hier drin?«

»Wir haben nur eine Musikbox.«

»O. K. Schon gut«, sagte der Mann. »Wenn das alles ist, was Sie haben, da kann man nichts machen. Was möchten Sie hören?«

»Ganz wie Sie wollen.«

Der Mann studierte die Titel der Schallplatten, die in der Maschine waren, und sagte dann: »Wie wäre es mit Benny Goodman und Jingle Bells?«

»Ganz wie Sie wollen«, sagte der Barmann.

»O. K.«, sagte der Mann und steckte eine Münze in den Schlitz. »Also Jingle Bells.«

Die Maschine begann zu arbeiten, als sich der Mann wieder auf den Barhocker setzte, und der Barmann machte ihm einen zweiten Red Label auf Eis fertig. Die Musik begann, und nachdem er einen Augenblick hingehört hatte, sagte der Mann: »Ist nicht Jingle Bells. Ist was andres«.

»Sie haben die falsche Zahl gedrückt.«

»Macht nichts«, sagte der Mann fröhlich. »Macht ganz und gar nichts. Die Platte ist auch nicht schlecht.«

Wieder kam der Junge herein, aber die Musikbox machte einen solchen Lärm, daß der Barmann hätte schreien müssen, so ging er zu dem Jungen und brachte ihn hinaus. »Wo ist mein Vater?« fragte Donald Efaw.

»Er wird jeden Moment kommen. Bleib schön draußen und warte auf ihn.«

Das ging so weiter bis um halb drei, als es zu schneien anfing. Der Barmann wählte einen günstigen Augenblick, um hinauszugehen und den Jungen hereinzuholen. Er ging mehrmals in die Küche und holte dem Jungen etwas zu essen. Der Junge saß hinter dem hohen Schanktisch, wo ihn keiner sah, auf einer Kiste und aß von einer Schachtel.

Nachdem er gegessen hatte, fielen ihm die Augen zu.

So legte der Barmann seinen schweren Überzieher über ein paar Bierkästen und deckte drei alte Schürzen aus dem Wäschesack und seine Joppe über das Kind. Die beiden hatten kein einziges Wort gesprochen, seit er den Jungen hereingeholt hatte, und nun, da er ausgestreckt dalag und schon in Schlaf versank, lächelte der Junge und weinte zugleich.

Die Trinker vom Morgen waren nun alle gegangen, auch Algayler und die Frau mit den falschen Zähnen und dem Foxterrier, und während der Junge schlief, kamen andere und gingen.

Es war ein Viertel vor fünf, als sich der Junge aufsetzte. Sofort erinnerte er sich, aber wieder sprachen die beiden kein Wort. Er saß da, als wäre er zu Hause in seinem Bett, und nachdem er zehn Minuten mit offenen Augen geträumt hatte, stand er auf.

Es war jetzt dunkel draußen, und es schneite, aber nicht ruhig, sondern in fauchenden Wirbeln. Der Junge schaute einen Augenblick in das Schneegestöber, dann wandte er sich um und sah den Barmann an.

»Ist mein Vater zurückgekommen?«

»Noch nicht«, sagte der Barmann.

Er bückte sich herunter, um mit dem Jungen zu sprechen. »In wenigen Minuten bin ich mit der Arbeit fertig, und vielleicht erkennst du euer Haus, wenn du es siehst. Jedenfalls will ich versuchen, dich nach Hause zu bringen.«

»Ist mein Vater nicht zurückgekommen?«

»Nein. Vielleicht hat er vergessen, wo er dich gelassen hat.«

»Er hat mich genau hier vor der Tür gelassen«, sagte der Junge, als ob man so etwas unmöglich vergessen könne. »Genau hier vor dem Eingang.«

»Ich weiß.«

Der Barmann für die Nacht kam in seinem weißen Kittel aus der Küche und sah den Jungen.

»Wer ist das, John? Einer von deinen Sprößlingen?«

»Ja«, sagte der Barmann, denn er wollte dem anderen nicht erzählen, was geschehen war.

»Wo hat er denn den Mantel her?«

Der Junge schrak zusammen und blickte zu Boden.

»Ein alter Mantel von mir«, sagte der Barmann. »Er hat natürlich seinen eigenen Mantel, aber ausgerechnet den will er immer tragen.«

Der Junge schaute verwundert zu dem Barmann auf.

»So sind die Blagen, John«, sagte der Barmann für die Nacht. »Wollen immer schon sein wie der alte Herr.«

»Stimmt«, sagte der andere. Er zog den weißen Kittel aus, zog seine Joppe und den schweren Überzieher an und nahm den Jungen bei der Hand.

»Guten Abend«, sagte er. Der Barmann für die Nacht sah ihm nach, wie er mit dem Jungen auf die Straße hinaustrat.

Schweigend gingen sie an drei Häuserblocks vorbei, traten dann in einen Drugstore ein und setzten sich an die Theke.

»Schokolode oder Vanille?«

»Ich weiß nicht.«

»Ein Schokolade- und ein Vanilleeis mit Soda«, sagte der Barmann zu dem Mixer. Der Barmann nahm die Vanille, der Junge die Schokolade, dann gingen sie wieder in den Schnee hinaus.

»Nun denk einmal scharf nach, wo ihr wohnt. Hast du keine Ahnung?«

»Nein.«

Der Barmann stand im Schnee und überlegte, was zu tun sei. Aber alles war vergeblich, und schließlich gab er auf. »Well«, sagte er endlich, »wie wäre es, wenn du mit mir kämst und die Nacht mit meinen Kindern schliefst? Ich habe zwei Jungen und ein kleines Mädchen. Wir werden dir einen Platz zum Schlafen richten, und morgen kommt dein Vater und holt dich ab.«

»Ob er auch kommt?«

»Ich bin ganz sicher.«

Sie gingen weiter durch den stillen Schnee, und dann hörte der Barmann, wie der Junge leise weinte. Er versuchte nicht, ihn zu trösten, denn er wußte, hier gab es keinen Trost. Der Junge beherrschte sich, er weinte nur ganz leise, während er mit seinem Freund dahinging. Er hatte von Fremden gehört und von Feinden, und er glaubte immer schon, dies sei dasselbe, aber hier war einer, den er vorher nie gesehen hatte und der weder ein Fremder noch ein Feind war. Dennoch fühlte er sich schrecklich allein ohne seinen verärgerten Vater.

Sie gingen ein paar Stufen hinauf, die mit Schnee bedeckt waren, und der Freund des Jungen sagte: »Hier wohnen wir. Zuerst werden wir etwas Warmes essen, dann kannst du dich schlafen legen, und morgen holt dich dein Vater ab.«

»Wann wird er kommen?« fragte der Junge.

»Morgen früh«, sagte sein Freund.

Als sie in den Lichtschein des Hauses traten, sah der Barmann, daß der Junge nicht mehr weinte. Vielleicht würde er nie mehr weinen.

Saki (H. H. Munro)
Dankesbriefe

ast du den Froplinsons geschrieben und ihnen für das Weihnachtsgeschenk gedankt?« fragte Egbert.

»Nein«, antwortete Janetta mit einem Ton, der einen Anflug von trotziger Müdigkeit hatte. »Ich habe heute elf Briefe geschrieben und meine freudige Überraschung über alle möglichen Geschenke ausgedrückt, aber den Froplinsons habe ich nicht geschrieben.«

»Jemand muß ihnen aber schreiben«, sagte Egbert.

»Ich will die Notwendigkeit nicht bestreiten, aber ich finde nicht, daß ich dieser Jemand sein muß«, erwiderte Janetta. »Ich hätte nichts dagegen, einem geeigneten Empfänger einen wütenden Brief mit Vorwürfen oder einen herzlosen mit spöttischen Ergüssen zu schreiben, oh, das würde mir sogar noch Spaß machen, aber meine Fähigkeit, ergebene Liebenswürdigkeit auszudrücken, hat sich erschöpft. Heute elf Briefe und gestern neun, alle vollgetränkt mit ekstatischer Dankbarkeit – du kannst wirklich nicht von mir erwarten, daß ich mich hinsetze und noch einen abfasse. Es gibt einen Punkt, an dem man ausgeschrieben ist.«

»Ich habe fast ebensoviele geschrieben«, sagte Egbert, »außerdem hatte ich meine übliche Geschäftskorrespondenz zu erledigen. Übrigens weiß ich gar nicht, was uns die Froplinsons geschenkt haben.«

»Einen Kalender mit Zitaten von Wilhelm dem Eroberer«, erklärte Janetta. »Mit einem seiner tiefsinnigen Gedanken für jeden Tag des Jahres.«

»Unmöglich«, entgegnete Egbert. »In seinem ganzen Leben hatte er nicht dreihundertfünfundsechzig Gedanken, oder er behielt sie für sich, wenn er sie doch hatte. Er war ein Mann der Tat, kein Denker.«

»Na, dann sind es eben Zitate von Wilhelm Wordsworth«, sagte Janetta. »Ich weiß nur, daß es irgendein Wilhelm ist.«

»Das klingt wahrscheinlicher«, meinte Egbert. »Komm, wir wollen den Dankesbrief gemeinsam abfassen und die Sache hinter uns bringen. Ich diktiere, und du schreibst. ›Liebe Frau Froplinson, Ihnen und Ihrem Mann herzlichen Dank für den Kalender, den Sie uns geschickt haben. Es war sehr nett von Ihnen, an uns zu denken.‹«

»Das kannst du unmöglich sagen«, widersprach Janetta und legte die Feder hin.

»Das schreibe ich immer, und mir wird es auch immer geschrieben«, verteidigte sich Egbert.

»Wir schickten ihnen etwas am zweiundzwanzigsten«, sagte Janetta, »folglich mußten sie einfach an uns denken. Sie konnten nicht anders.«

»Was haben wir ihnen geschenkt?« fragte Egbert düster.

»Spielkarten«, antwortete Janetta, »in einer Schachtel, die mit einer Glücksgöttin mit Füllhorn verziert war. Sowie ich sie im Laden sah, sagte ich zu mir: ›Das ist etwas für die Froplinsons‹, und zu dem Verkäufer: ›Wieviel?‹ Als er ›Neun Pence‹ sagte, gab ich ihm die Adresse, legte unsere Visitenkarten dazu, bezahlte zehn oder elf Pence fürs Porto dazu und dankte dem Himmel. Sie bedankte sich dann mit viel weniger Aufrichtigkeit und viel mehr Mühe.«

»Die Froplinsons spielen ja gar nicht Bridge«, wandte Egbert ein.

»Von derartigen gesellschaftlichen Mängeln braucht man nichts zu wissen«, erwiderte Janetta; »es wäre unhöflich. Haben sie sich etwa bemüht herauszufinden, ob wir

Wordsworth gern lesen? Ebensogut könnten wir der Ansicht huldigen, daß alle Lyrik bei John Masefield anfängt und aufhört, und es wäre möglich, daß es uns erbost oder bedrückt, wenn uns jeden Tag ein Muster Wordsworthscher Produkte an den Kopf geworfen wird.«

»Na, machen wir uns an den Dankesbrief.«

»Also los«, sagte Janetta.

»Wie gut Sie erraten haben, daß Wordsworth unser Lieblingsdichter ist«, diktierte Egbert.

»Ist dir klar, was das zur Folge haben wird?« fragte sie.

»Ein Büchlein von Wordsworth nächste Weihnachten und wieder ein Kalender übernächstes Jahr, und jedesmal das gleiche Problem, einen schicklichen Dankesbrief abzufassen. Nein, am besten lassen wir alle Anspielungen auf den Kalender und sprechen von etwas ganz anderem.«

»Wovon denn?«

»Ach, zum Beispiel: ›Was halten Sie von der Neujahrs-Ehrenliste? Ein Freund von uns machte eine so kluge Bemerkung, als er sie las.‹ Dann flickst du irgendeine Bemerkung ein, die dir gerade in den Kopf kommt; sie braucht nicht besonders klug zu sein. Die Froplinsons erkennen den Unterschied ohnehin nicht.«

»Wir wissen nicht einmal, wo sie politisch stehen«, entgegnete Egbert. »Überhaupt kannst du den Kalender nicht einfach umgehen. Es muß doch irgendeine kluge Bemerkung geben, die man darüber machen könnte.«

»Na, uns fällt keine ein«, sagte Janetta müde. »Tatsache ist, daß wir beide ausgeschrieben sind. Himmel! Gerade ist mir Frau Ludberry in den Sinn gekommen. Ich habe ihr für ihr Geschenk noch nicht gedankt.«

»Was hat sie uns denn geschenkt?«

»Ich hab's vergessen. Ich glaube, einen Kalender.«

Es entstand ein langes Schweigen, das verzweifelte

Schweigen derer, die aller Hoffnung beraubt und fast abgestumpft sind.

Endlich stand Egbert entschlossen auf. In seinen Augen blitzte Kampfeslust.

»Laß mich an den Schreibtisch!« rief er.

»Gern«, sagte Janetta. »Willst du Frau Ludberry schreiben oder den Froplinsons?«

»Keinem von beiden«, erwiderte er und zog einen Stapel Schreibpapier zu sich heran. »Ich schreibe an alle fortschrittlichen und einflußreichen Zeitungen im Lande. Ich will vorschlagen, für die Weihnachts- und Neujahrsfesttage eine Art brieflichen Gottesfrieden festzusetzen. Es soll als Verstoß gegen Anstand und Sitte betrachtet werden, wenn man zwischen dem vierundzwanzigsten Dezember und dem dritten oder vierten Januar Briefe schreibt oder erwartet, die sich nicht auf irgendwelche dringenden Dinge beziehen. Beantwortung von Einladungen, Reisevorbereitungen, Erneuerungen von Abonnements, natürlich auch alle gewöhnlichen, alltäglichen geschäftlichen Angelegenheiten, Krankheit, Einstellung einer neuen Köchin und so weiter, das sind die Dinge, mit denen man sich auf übliche Weise befassen darf, da sie unvermeidlich sind und erlaubtermaßen zum täglichen Leben gehören. Aber der ganze Wust von verheerender Korrespondenz, der mit dem Fest zu tun hat, wird abgeschafft, damit es wirkliche Festtage sind, so daß die Menschen eine Zeit ungestörten Friedens und Wohlgefallens erleben können.«

»Aber man muß doch den Empfang der Geschenke irgendwie bestätigen«, wandte Janetta ein, »sonst wissen die Leute nicht, ob sie gut angekommen sind.«

»Natürlich, das habe ich schon bedacht«, erklärte Egbert.

»Jedes abgesandte Geschenk ist von einer Karte begleitet, auf der das Datum der Aufgabe und der Name des

Absenders stehen, außerdem irgendein konventionelles Geschnörkel, aus dem hervorgeht, daß es ein Weihnachts- oder Neujahrsgeschenk ist. Ein Kontrollabschnitt ist dabei mit Platz für den Namen des Empfängers und das Ankunftsdatum, und du brauchst nur den Kontrollabschnitt auszufüllen, ein konventionelles Gekritzel hinzuzufügen, das herzlichen Dank und begeisterte Überraschung ausgedrückt, das Ganze in einen Umschlag zu stecken und in den Briefkasten zu werfen.«

»Das hört sich herrlich einfach an«, sagte Janetta betrübt, »aber die Leute würden es zu prosaisch und mechanisch finden.«

»Es ist nicht prosaischer als das gegenwärtige System«, antwortete Egbert. »Mir stehen bloß dieselben konventionellen Werte zur Verfügung, mit denen ich dem lieben alten Oberst Chuttle für seinen köstlichen Käse danke, den wir bis zum letzten Bissen verschlingen werden, und die Froplinsons wissen, daß uns ihr Kalender langweilt, auch wenn wir das Gegenteil behaupten, genau wie wir wissen, daß sie mit den Spielkarten nichts anfangen können, obwohl sie uns in ihrem Dankesbrief ihre große Freude über das entzückende kleine Geschenk beteuert haben. Und der Oberst weiß, daß wir denselben überschwenglichen Dankesbrief geschrieben hätten, selbst wenn wir Käse nicht ausstehen könnten oder der Arzt ihn uns verboten hätte. Du siehst also, das gegenwärtige System der Dankesbriefe ist ebenso mechanisch wie die Erfindung mit den vorgedruckten Empfangsbestätigungen, nur zehnmal lästiger und ermüdender.«

»Deine Erfindung würde uns dem Ideal einer frohen Weihnacht bestimmt näherbringen«, sagte Janetta.

»Natürlich gibt es Ausnahmen«, fuhr Egbert fort. »Ich meine die Menschen, die in ihren Dankesbriefen nicht ganz so unaufrichtig sind. Zum Beispiel Tante Susan, wenn sie schreibt: ›Ich danke Euch vielmals für den Schinken. Er hat weniger gut geschmeckt als der Schinken, den ich voriges Jahr von Euch erhielt, und der an sich nicht besonders gut war. Früher waren die Schinken überhaupt besser.‹ Es wäre schade, auf ihre Dankesworte verzichten zu müssen, aber dieser Verlust würde im allgemeinen Gewinn untergehen.«

Janetta fragte: »Und was soll ich inzwischen den Froplinsons schreiben?«

FELIX TIMMERMANNS

Sankt Nikolaus in Not

s fielen noch ein paar mollige Flocken aus der wegziehenden Schneewolke, und da stand auf einmal auch schon der runde Mond leuchtend über dem weißen Turm. Die beschneite Stadt wurde eine silberne Stadt.

Es war ein Abend von flaumweicher Stille und lilienreiner Friedsamkeit. Und wären die flimmernden Sterne herniedergesunken, um als Heilige in goldenen Meßgewändern durch die Straßen zu wandeln – niemand hätte sich gewundert.

Es war ein Abend, wie geschaffen für Wunder und Mirakel. Aber keiner sah die begnadete Schönheit des alten Städtchens unter dem mondbeschienenen Schnee. – Die Menschen schliefen.

Nur der Dichter Remoldus Keersmaeckers, der in allem das Schöne sah und darum lange Haare trug, saß noch bei Kerzenschein und Pfeifenrauch und reimte ein Gedicht auf die Götter des Olymps und die Herrlichkeit des griechischen Himmels, die er so innig auf Holzschnitten bewundert hatte.

Der Nachtwächter Dries Andijvel, der auf dem Turm die Wache hielt, huschte alle Viertelstunden hinaus, blies eilig drei Töne in die vier Windrichtungen, kroch dann zurück in die warme, holzgetäfelte Kammer zum bullernden Kanonenöfchen und las weiter in seinem Liederbüchlein: »Der flämische Barde, hundert Lieder für fünf Groschen.« War eins dabei, von dem er die Weise kannte, dann kratzte er die auf einer alten Geige und sang das Lied durch seinen weißen Bart, daß es bis hoch ins rabenschwarze Gerüst des Turmes schallte. Ein kühles Gläschen Bier schmierte ihm jedesmal zur Belohnung die Kehle.

Trinchen Mutser aus dem »Verzuckerten Nasenflügel« saß in der Küche und sah traurig durch das Kreuzfensterchen in ihren Laden.

Ihr Herz war in einen Dornbusch gefallen. Trinchen Mutsers Herz war ganz durchstochen und durchbohrt, nicht weil all ihr Zuckerzeug heut am Sankt-Nikolaus-Abend ausverkauft war – ach nein! weil das große Schokoladenschiff stehengeblieben war. Einen halben Meter war es hoch und so lang wie von hier bis dort!

Wie wunderschön stand es da hinter den flaschengrünen Scheiben ihres Lädchens, lustig mit Silberpapier beklebt, verziert mit rosa Zuckerrosetten, mit Leiterchen aus weißem Zucker und mit Rauch in den Schornsteinen. Der Rauch war weiße Watte.

Das ganze Stück kostete so viel, wie all die kleinen Leckereien, die Pfefferkuchenhähne mit einem Federchen am Hintern, die Knusperchen, die Schaumflocken, die Zuckerbohnen und die Schokoladenplätzchen zusammen. Und wenn das Stück, das Schiff aus Schokolade, das sich in rosa Zuckerbuchstaben als die »Kongo« auswies, nicht verkauft wurde, dann lag ihr ganzer Verdienst im Wasser, und sie verlor noch Geld obendrein.

Warum hat sie das auch kaufen müssen? Wo hat sie nur ihre Gedanken gehabt! So ein kostbares Stück für ihren bescheidenen kleinen Laden!

Wohl waren alle gekommen, um es sich anzusehen, Mütter und Kinder, sie hatte dadurch verkauft wie noch nie. Aber kein Mensch fragte nach dem Preis, und so blieb es stehen und rauchte immer noch seine weiße Watte, stumm wie ein toter Fisch.

Als Frau Doktor Vaes gekommen war, um Varenbergsche Hustenbonbons zu holen, da hatte Trinchen gesagt: »Sehen Sie nur mal, Frau Doktor Vaes, was für ein schönes Schiff! Wenn ich Sie wäre, dann würde ich Ihren Kindern nichts anderes zum Sankt Nikolaus schenken als dieses Schiff. Sie werden selig sein, wie im Himmel.«

»Ach«, sagte Frau Vaes abwehrend, »Sankt Nikolaus ist ein armer Mann. Die Kinder werden schon viel zu sehr verwöhnt, und außerdem gehen die Geschäfte von dem Herrn Doktor viel zu schlecht. Wissen Sie wohl, Trinchen, daß es in diesem Winter fast keine Kranken gibt? Wenn das nicht besser wird, weiß ich gar nicht, was wir anfangen sollen.« Und sie kaufte zwei Pfefferkuchenhähne auf einem Stäbchen und ließ sich tagelang nicht mehr sehen.

Und heute war Nikolausabend; aller Kleinkram war verkauft, nur die »Kongo« stand noch da in ihrer braunen Kongofarbe und rauchte einsam und verlassen ihre weiße Watte. Zwanzig Franken Verlust! Der ganze Horizont war schwarz wie die »Kongo« selber. Vielleicht könnte man sie stückweise verkaufen oder verlosen? Ach nein, das brachte noch nicht fünf Franken ein, und sie konnte das Ding doch nicht auf die Kommode stellen neben die anderen Nippsachen.

Ihr Herz war in einen Dornbusch gefallen. Sie zündete eine Kerze an für den heiligen Antonius und eine für Sankt Nikolaus und betete einen Rosenkranz, auf daß der Himmel sich des Schiffes annehmen möge und Gnade tauen. Sie wartete und wartete. Die Stille wanderte auf und ab.

Um zehn Uhr machte sie die Fensterläden zu und konnte in ihrem Bett vor Kummer nicht schlafen.

Und es gab noch ein viertes Wesen in dem verschneiten Städtchen, das nicht schlief. Das war ein kleines Kind, Cäcilie; es hatte ein seidig blondes Lockenköpfchen und war so arm, daß es sich nie mit Seife waschen konnte, und ein Hemdchen trug es, das nur noch einen Ärmel hatte und am Saum ausgefranst war wie Eiszapfen an der Dachrinne.

Die kleine Cäcilie saß, während ihre Eltern oben schliefen, unter dem Kamin und wartete, bis Sankt Nikolaus das Schokoladenschiff von Trinchen Mutser durch den Schornstein herunterwerfen würde. Sie wußte, es würde ihr gebracht werden; sie hatte es jede Nacht geträumt, und nun saß sie da und wartete voller Zuversicht und Geduld darauf; und weil sie fürchtete, das Schiff könne beim Fallen kaputtgehen, hatte sie sich ihr Kopfkissen auf den Arm gelegt, damit es weich wie eine Feder darauf niedersinken könnte.

Und während nun die vier wachenden Menschen im Städtchen: der Dichter, der Turmwächter, Trinchen Mutser und Cäcilie, ein jedes mit seiner Freude, seinem Kummer oder seiner Sehnsucht beschäftigt, nichts sahen von der Nacht, die war wie ein Palast, öffnete sich der Mond wie ein runder Ofen mit silberner runder Tür, und es stürzte aus der Mondhöhle eine solche strahlende Klarheit hernieder, daß sie sich auch mit goldener Feder nicht beschreiben ließe.

Einen Augenblick lang fiel das echte Licht aus dem wirklichen Himmel auf die Erde. Das geschah, um Sankt Nikolaus auf seinem weißen, schwerbeladenen Eselchen und den schwarzen Knecht Ruprecht durchzulassen.

Aber wie kamen sie nun auf die Erde? Ganz einfach. Das Eselchen stellte sich auf einen Mondstrahl, stemmte die Beine steif und glitschte nur so hinunter, wie auf einer schrägen Eisbahn. Und der schlaue Knecht Ruprecht faßte den Schwanz vom Eselchen und ließ sich ganz behaglich mitziehen, auf den Fersen hockend. So kamen sie ins Städtchen, mitten auf den beschneiten Großen Markt.

In Körben, die zu beiden Seiten des Eselchens hingen, dufteten die bunten Leckereien, die Knecht Ruprecht unter der Aufsicht von Sankt Nikolaus in der Konditorei des Himmels gebacken hatte. Und als man sah, daß es nicht reichte und der Zucker zu Ende ging, da hatte Knecht Ruprecht sich in Zivil geworfen, um unerkannt in den Läden, auch bei Trinchen Mutser, Süßigkeiten zu kaufen, von dem Geld aus den Sankt-Nikolaus-Opferstöcken, die er alle Jahre einmal in den Kirchen ausleeren durfte. Mit all den Leckereien war er an einem Mondstrahl in den schönen Himmel hinaufgeklettert, und nun mußte das alles verteilt werden an die kleinen Freunde von Sankt Nikolaus.

Sankt Nikolaus ritt durch die Straßen, und bei jedem Haus, in dem ein Kind wohnte, gab er je nach der Artigkeit des Kindes dem Knecht Ruprecht Leckereien, welche dieser, mit Katzengeschmeidigkeit an Regenkandeln und Dachrinnen entlangkletternd und über die Ziegel krabbelnd, zum Schornstein brachte; da ließ er sie dann vorsichtig hinunterfallen durch das kalte zugige Kaminloch, gerade auf einen Teller oder in einen Holzschuh hinein, ohne die zerbrechlichen Köstlichkeiten auch nur etwas zu bestoßen oder zu schrammen.

Knecht Ruprecht verstand sich auf seine Sache, und Sankt Nikolaus liebte ihn wie seinen Augapfel.

So bearbeiteten sie das ganze Städtchen, warfen herab, wo zu werfen war, sogar hier und da eine Rute für rechte Taugenichtse.

»Da wären wir bis zum nächsten Jahr wieder mal fertig«, sagte der Knecht Ruprecht, als er die leeren Körbe sah. Er steckte sich sein Pfeifchen an und stieß einen erleichterten Seufzer aus, weil die Arbeit nun getan war.

»Was?« fragte Sankt Nikolaus beunruhigt. »Ist nichts mehr drin? Und die kleine Cäcilie? Die brave kleine Cäcilie? Schscht!«

Sankt Nikolaus sah auf einmal, daß sie vor Cäciliens

Haus standen, und legte mahnend den Finger auf den Mund. Doch das Kind hatte die warme, brummende Stimme gehört wie Hummelgesumm, machte große Augen unter dem goldenen Lockenkopf, glitt ans Fenster, schob das Gardinchen weg und sah Sankt Nikolaus, den wirklichen Sankt Nikolaus.

Das Kind stand mit offenem Munde staunend da. Und während es sich gar nicht fassen konnte über den goldenen Bischofsmantel, der funkelte von bunten Edelsteinen wie ein Garten, über die Pracht der Mitra, worauf ein diamantenes Kreuz Licht in die Nacht hineinschnitt wie mit Messern, über den Reichtum der Ornamente am Krummstab, wo ein silberner Pelikan das Rubinenblut pickte für seine Jungen, während es die feine Spitze besah, die über den purpurnen Mantel schleierte, während es Gefallen fand an dem guten weißen Eselchen und während es lachen mußte über die Grimassen von dem drolligen schwarzen Knecht, der die weißen Augen herumrollte, als ob sie lose wie Taubeneier in seinem Kopf lägen, während alledem hörte es die zwei Männer also miteinander reden:

»Ist gar nichts mehr drin in den Körben, lieber Ruprecht?«

»Nein, heiliger Herr, so wenig wie in meinem Geldsäkkel.«

»Sieh noch einmal gut nach, Ruprecht!«

»Ja, heiliger Herr, und wenn ich die Körbe auch ausquetsche, so kommt doch nicht so viel heraus wie eine Stecknadel.« Sankt Nikolaus strich kummervoll über seinen schneeweißen Lockenbart und zwinkerte mit seinen honiggelben Augen.

»Ach«, sagte der schwarze Knecht, »da ist nun doch nichts mehr zu machen, heiliger Herr. Schreib der kleinen Cäcilie, daß sie im kommenden Jahr doppelt und dreimal soviel kriegen soll.«

»Niemals! Ruprecht! Ich, der ich im Himmel wohnen darf, weil ich drei Kinder, die schon zerschnitten und eingepökelt waren, wieder zum Leben gebracht und ihrer Mutter zurückgegeben habe, ich sollte nun diese kleine Cäcilie, das bravste Kind der ganzen Welt, leer ausgehen lassen und ihm eine schlechte Meinung von mir beibringen? Nie, Ruprecht! Nie!«

Knecht Ruprecht rauchte heftig, das brachte auf gute Gedanken, und sagte plötzlich: »Aber heiliger Herr, nun hört mal zu! Wir haben keine Zeit mehr, um noch einmal zum Himmel zurückzukehren, Ihr wißt, für Sankt Peter ist der Himmel kein Taubenschlag. Und außerdem, der Backofen ist kalt und der Zucker zu Ende. Und hier in der Stadt schläft alles, und es ist Euch sowohl wie mir verboten, Menschen zu wecken, und zudem sind auch alle Läden ausverkauft.«

Sankt Nikolaus strich nachdenklich über seine von vier Falten durchzogene Stirn, neben der schon Löckchen glänzten, denn sein Bart begann dicht unter dem Rande seines schönen Hutes.

Ich brauche euch nicht zu erzählen, wie Cäcilie langsam immer bekümmerter wurde von all den Worten. Das reiche Schiff sollte nicht bei ihr stranden! Und auf einmal schoß es leuchtend durch ihr Köpfchen. Sie machte die Tür auf und stand in ihrem zerschlissenen Hemdchen auf der Schwelle. Sankt Nikolaus und Knecht Ruprecht fuhren zusammen wie die Kaninchen. Doch Cäcilie schlug ehrerbietig ein Kreuz, stapfte mit ihren bloßen Füßen in den Schnee und ging zu dem heiligen Kinderfreund. »Guten Tag, lieber Sankt Nikolaus«, stammelte das Kind. »Alles ist noch nicht ausverkauft... bei Trinchen Mutser steht noch ein großes Schokoladenschiff vom Kongo... wie sie die Läden vorgehängt hat, stand es noch da. Ich hab' es gesehen!«

Von seinem Schreck sich erholend, rief Sankt Nikolaus erfreut: »Siehst du wohl, es ist noch nicht alles ausverkauft! Auf zu Trinchen Mutser! Zu Trinchen ... aber ach!« ... und seine Stimme zitterte verzweifelt, »wir dürfen niemand wecken.«

»Ich auch nicht, Sankt Nikolaus?« fragte das Kind.

»Bravo!« rief der Heilige. »Wir sind gerettet, kommt!«

Und sie gingen mitten auf der Straße, die kleine Cäcilie mit ihren bloßen Füßen voran, gerade nach der Eierwaffelstraße, wo Trinchen Mutser wohnte. In der Süßrahmbutterstraße wurde ihr Blick auf ein erleuchtetes Fenster gelenkt. Auf dem heruntergelassenen Vorhang sahen sie den Schatten von einem dürren, langhaarigen Menschen, der mit einem Büchlein und einer Pfeife in der Hand große Gebärden machte, und sein Mund ging dabei auf und zu. »Ein Dichter«, sagte Sankt Nikolaus und lächelte.

Sie kamen vor Trinchen Mutsers Haus. Im Mondlicht konnten sie gut das Aushängeschild erkennen. »Zum verzuckerten Nasenflügel«.

»Weck sie rasch auf«, sagte Sankt Nikolaus. Und das Kind lehnte sich mit dem Rücken an die Tür und klopfte mit der Ferse gegen das Holz. Aber das klang leise wie ein Samthämmerchen. »Stärker«, sagte der schwarze Knecht. »Wenn ich noch stärker klopfe, wird's noch weniger gehen, denn mein Fuß tut mir weh«, sagte das Kind. »Mit den Fäusten«, sagte Knecht Ruprecht. Doch die Fäustchen waren noch leiser als die Fersen.

»Wart, ich werd' meinen Schuh ausziehen, dann kannst du damit klopfen«, sagte Knecht Ruprecht.

»Nein«, gebot Sankt Nikolaus, »kein Drehn und Deuteln! Gott ist heller um uns als dieser Mondschein und duldet keine Advokatenkniffe.« Und doch hätte der gute Mann sich gern einen Finger abgebissen, um Cäcilie befriedigen zu können.

»Ach! Aber den Kerl mit den Affenhaaren auf dem Vorhang«, rief Knecht Ruprecht erfreut, »den darf ich rufen, der schläft nicht!«

»Der Dichter! Der Dichter!« lachte Sankt Nikolaus. Und nun gingen sie alle drei schnell zu dem Dichter Remoldus Keersmaeckers.

Und kurzerhand machte Knecht Ruprecht kleine Schneebälle, die er ans Fenster warf. Der Schatten stand still, das Fenster ging auf, und das lange Gestell des Dichters, der Verse von den Göttern und Göttinnen des Olymps hersagte, wurde im Mondschein sichtbar und fragte von oben: »Welche Muse kommt, um mir Heldengesänge zu diktieren?«

»Du sollst Trinchen Mutser für uns wecken«, rief Sankt Nikolaus, und er erzählte seine Not.

»Ja, bist du denn der wirkliche Sankt Nikolaus?« fragte Remoldus.

»Der bin ich!« Und darauf kam der Dichter erfreut herunter, jätete allen Dialekt aus seiner Sprache, machte Verbeugungen und redete von Dante, Beatrice, Vondel, Milton und anderen Dichtergestalten, die er im Himmel glaubte. Dann stand er ihnen zu Diensten. Sie kamen zu Trinchen Mutser, und der Dichter stampfte und rammelte mit so viel Temperament an der Tür, daß das Frauenzimmer holterdiepolter aus dem Bett stürmte und erschrocken das Fenster öffnete. »Geht die Welt unter?«

»Wir kommen wegen dem großen Schokoladenschiff«, sagte Sankt Nikolaus, weiter konnte er ihr nichts erklären, denn sie war schon weg und kam wieder in ihrer lächerlichen Nachtkleidung, mit einem bloßen Fuß und einem Strumpf in der Hand, und machte die Türe auf.

Sie steckte die Lampe an und ging sofort hinter den Ladentisch, um zu bedienen. Sie dachte, es müsse der Bischof von Mecheln sein.

»Herr Bischof«, sagte sie stotternd, »hier ist das Schiff aus bester Schokolade, und es kostet fünfundzwanzig Franken.« Der Preis war nur zwanzig Franken, aber ein Bischof kann ja gern fünf Franken mehr bezahlen.

Aber nun platzte die Bombe! Geld! Sankt Nikolaus hatte kein Geld, das hat man im Himmel nun einmal nicht nötig. Knecht Ruprecht hatte auch kein Geld, das Kind hatte nur ein zerschlissenes Hemdchen an, und der Dichter kaute an seinem langen Haupt- und Barthaar vor Hunger – er war vier Wochen Miete schuldig. Niedergeschlagen sahen sie einander an.

»Es ist Gott zuliebe«, sagte Sankt Nikolaus. Gerne hätte er seine Mitra gegeben, aber alles das war ihm vom Himmel geliehen, und es wäre Heiligenschändung gewesen, es wegzugeben.

Trinchen Mutser rührte sich nicht und betrachtete sie finster.

»Tu es dem Himmel zuliebe«, sagte Knecht Ruprecht. »Nächstes Jahr will ich auch deinen ganzen Laden aufkaufen.«

»Tu es aus lauter Poesie«, sagte der Dichter theatralisch.

Aber Trinchen rührte sich nicht, sie fing an zu glauben, weil sie kein Geld hatten, daß es verkleidete Diebe seien.

»Schert euch 'raus! Hilfe! Hilfe!« schrie sie auf einmal. »Schert euch 'raus! Heiliger Antonius und Sankt Nikolaus, steht mir bei!«

»Aber ich bin doch selbst Sankt Nikolaus«, sagte der Heilige.

»So siehst du aus! Du hast nicht mal einen roten Heller aufzuweisen!«

»Ach, das Geld, das alle Bruderliebe vergiftet!« seufzte Sankt Nikolaus.

»Das Geld, das die edle Poesie verpfuscht!« seufzte der Dichter Keersmaeckers.

»Und die armen Leute arm macht«, schoß es der kleinen Cäcilie durch den Kopf.

»Und ein Schornsteinfegerherz doch nicht weiß klopfen machen kann«, lachte Knecht Ruprecht. Und sie gingen hinaus. In der Mondnacht, die still war von Frosteskłarheit und Schnee, tönte das »Schlafet ruhig« hart und hell vom Turm.

»Noch einer, der nicht schläft«, rief Sankt Nikolaus erfreut, und sogleich steckte Knecht Ruprecht auch schon den Fuß zwischen die Tür, die Trinchen wütend zuschlagen wollte.

»Haltet ihr mir die Frau wach«, sagte der schwarze Knecht, »ich komme sofort zurück!«

Und damit stieß er die Tür wieder auf, und zwar so heftig, daß Trinchen sich plötzlich in einem Korb voll Zwiebeln wiederfand.

Und während die andern aufs neue hineingingen, sprang Knecht Ruprecht auf das Eselchen, sauste wie ein Sensenstrich durch die Straßen, hielt vor dem Turm, kletterte an Zinnen, Vorsprüngen und Zieraten, Schiefern und Heiligenbildern den Turm hinauf bis zu Dries Andijvel, der gerade »Es wollt' ein Jäger früh aufstehn« auf seiner Geige kratzte.

Der Mann ließ Geige und Lied fallen, aber Knecht Ruprecht erzählte ihm alles.

»Erst sehen und dann glauben!« sagte Dries. Knecht Ruprecht kriegte ihn am Ende doch noch mit hinunter, und zu zweit rasten sie auf dem Eselchen durch die Straßen nach dem »Verzuckerten Nasenflügel«.

Sankt Nikolaus fiel vor dem Nachtwächter auf die Knie und flehte ihn an, doch die fünfundzwanzig Franken zu bezahlen, dann solle ihm auch alles Glück der Welt werden.

Der Mann war gerührt und sagte zu dem ungläubigen, hartherzigen Trinchen:

»Ich weiß nicht, ob er lügt, aber so sieht Sankt Nikolaus doch aus in den Bilderbüchern von unsern Kindern und im Kirchenfenster über dem Taufstein. Und wenn er's nun wirklich ist! Gib ihm doch das Schiff! Morgen werde ich dir's bezahlen!«

Trinchen hatte großes Vertrauen zu dem Nachtwächter, der aus ihrer Nachbarschaft war. Und Sankt Nikolaus bekam das Schiff.

»Jetzt geh nur schnell nach Hause und leg dich schlafen«, sagte Sankt Nikolaus zu Cäcilie. »Wir bringen gleich das Schiff.«

Das Kind ging nach Hause, aber es schlief nicht, es saß am Kamin mit dem Kissen auf den Ärmchen und wartete auf das Niedersinken des Schiffes.

Der Mond sah gerade in das armselig-traurige Kämmerchen.

Ach, was sah Cäcilie da auf einmal!

Dort auf einem glitzernden Mondstrahl kletterte das Eselchen in die Höhe mit Sankt Nikolaus auf seinem Rücken, und Knecht Ruprecht hielt sich am Schwanz fest und ließ sich mitschleifen. Der Mond öffnete sich; ein sanftes, großes Licht fiel in funkelnden Regenbogenfarben über die beschneite Welt. Sankt Nikolaus grüßte die Erde, trat hinein, und wieder war da das gewöhnliche grüne Mondenlicht.

Die kleine Cäcilie wollte weinen. Knecht Ruprecht oder der gute Heilige hatten das Schiff nicht gebracht, es lag nicht auf dem Kissen.

Aber siehe! Was für ein Glück, das Schiff, die »Kongo«, stand ja da, in der kalten Asche, ohne Delle, ohne Bruch, strahlend von Silber, und rauchte für mindestens zwei Groschen weiße Watte aus beiden Schornsteinen! Wie war das möglich? Wie konnte das so in aller Stille geschehen? ...

Ja, das weiß nun niemand, das ist die Findigkeit und die große Geschicklichkeit vom Knecht Ruprecht, und die gibt er niemand preis.

Karl Heinrich Waggerl

Worüber das Christkind lächeln mußte

ls Josef mit Maria von Nazareth her unterwegs war, um in Bethlehem anzugeben, daß er von David abstamme, was die Obrigkeit so gut wie unsereins hätte wissen können, weil es ja längst geschrieben stand, – um jene Zeit also kam der Engel Gabriel heimlich noch einmal vom Himmel herab, um im Stalle nach dem Rechten zu sehen. Es war ja sogar für einen Erzengel in seiner Erleuchtung schwer zu begreifen, warum es nun der allererbärmlichste Stall sein mußte, in dem der Herr zur Welt kommen sollte, und seine Wiege nichts weiter als eine Futterkrippe. Aber Gabriel wollte wenigstens noch den Winden gebieten, daß sie nicht gar zu grob durch die Ritzen pfiffen, und die Wolken am Himmel sollten nicht gleich wieder in Rührung zerfließen und das Kind mit ihren Tränen überschütten, und was das Licht in der Laterne betraf, so mußte man ihm noch einmal einschärfen, nur bescheiden zu leuchten und nicht etwa zu blenden und zu glänzen wie der Weihnachtsstern.

Der Erzengel stöberte auch alles kleine Getier aus dem Stall, die Ameisen und Spinnen und die Mäuse, es war nicht auszudenken, was geschehen konnte, wenn sich die Mutter Maria vielleicht vorzeitig über eine Maus entsetzte! Nur Esel und Ochs durften bleiben, der Esel, weil man ihn später ohnehin für die Flucht nach Ägypten zur Hand haben mußte, und der Ochs, weil er so rießengroß und so faul war, daß ihn alle Heerscharen des Himmels nicht hätten von der Stelle bringen können.

Zuletzt verteilte Gabriel noch eine Schar Engelchen im Stall herum auf den Dachsparren, es waren solche von der kleinen Art, die fast nur aus Kopf und Flügeln bestehen. Sie sollten ja auch bloß still sitzen und achtgeben und sogleich Bescheid geben, wenn dem Kinde in seiner nackten Armut etwas Böses drohte. Noch ein Blick in die Runde, dann hob der Mächtige seine Schwingen und rauschte davon.

Gut so. Aber nicht ganz gut, denn es saß noch ein Floh auf dem Boden der Krippe in der Streu und schlief. Dieses winzige Scheusal war dem Engel Gabriel entgangen, versteht sich, wann hatte auch ein Erzengel je mit Flöhen zu tun!

Als nun das Wunder geschehen war, und das Kind lag leibhaftig auf dem Stroh, so voller Liebreiz und so rührend arm, da hielten es die Engel unterm Dach nicht mehr aus vor Entzücken, sie umschwirrten die Krippe wie ein Flug Tauben. Etliche fächelten dem Knaben balsamische Düfte zu, und die anderen zupften und zogen das Stroh zurecht, damit ihn ja kein Hälmchen drücken oder zwicken möchte.

Bei diesem Geraschel erwachte aber der Floh in der Streu. Es wurde ihm gleich himmelangst, weil er dachte, es sei jemand hinter ihm her, wie gewöhnlich. Er fuhr in der Krippe herum und versuchte alle seine Künste und schließlich, in der äußersten Not, schlüpfte er dem göttlichen Kinde ins Ohr.

»Vergib mir!« flüsterte der atemlose Floh, »aber ich kann nicht anders, sie bringen mich um, wenn sie mich erwischen. Ich verschwinde gleich wieder, göttliche Gnaden, laß mich nur sehen, wie!«

Er äugte also umher und hatte auch gleich seinen Plan. »Höre zu«, sagte er, »wenn ich alle Kraft zusammennehme, und wenn du still hältst, dann könnte ich vielleicht die Glatze des Heiligen Josef erreichen, und von dort weg kriege ich das Fensterkreuz und die Tür...«

»Spring nur!« sagte das Jesuskind unhörbar, »ich halte stille!«

Und da sprang der Floh. Aber es ließ sich nicht vermeiden, daß er das Kind ein wenig kitzelte, als er sich zurechtrückte und die Beine unter den Bauch zog.

In diesem Augenblick rüttelte die Mutter Gottes ihren Gemahl aus dem Schlaf.

»Ach, sieh doch!« sagte Maria selig, »es lächelt schon!«

Manfred Hausmann
Weg in die Dämmerung

Trüb verglimmt der Schein,
da der Abend naht,
und ich geh allein
den verschneiten Pfad,

der, vom Hang gelenkt,
mit gelindem Schwung
hin und her sich senkt
in die Niederung.

Birken, starr von Eis,
Pfahlwerk, unbehaun,
Dorn und Erlenreis,
ein verwehter Zaun

geben seiner Spur
anfangs das Geleit,
dann gehört er nur
der Unendlichkeit,

die verdämmernd webt
und ihn unbestimmt,
wie er weiterstrebt,
in ihr Dunkel nimmt.

Reif erknirscht und Schnee
unter meinem Schuh.

Weg, auf dem ich steh,
dir gehör ich zu!

Wer des Lichts begehrt,
muß ins Dunkel gehn.
Was das Grauen mehrt,
läßt das Heil erstehn.

Wo kein Sinn mehr mißt,
waltet erst der Sinn.
Wo kein Weg mehr ist,
ist des Wegs Beginn.

Quellennachweis

Der Verlag dankt den Copyright-Inhabern für die freundliche Genehmigung zum Nachdruck.

Hans Christian Andersen: Das Mädchen mit den Schwefelhölzern. Aus: Andersen Märchen, 3. Band, Gefion-Verlag, Kopenhagen/Berlin. Übersetzung von L. Tronier Funder.

Paula Modersohn-Becker: Brief an Rainer Maria Rilke. Aus: Paula Modersohn-Becker in Briefen und Tagebüchern. Mit freundlicher Genehmigung der S. Fischer Verlag GmbH, Frankfurt am Main 1979.

Rudolf Hagelstange: Innerer Frieden vor dem Fest. Aus: Und es geschah zur Nacht. Mein Weihnachtsbuch von Rudolf Hagelstange. Mit freundlicher Genehmigung der Paul List Verlag GmbH & Co. KG, München 1978.

Ilse Aichinger: Vor der langen Zeit. Aus: Freue dich, o Christenheit. Mit freundlicher Genehmigung der Agentur des Rauhen Hauses, Hamburg 1961.

Ernst Heimeran: Erinnerung an die Schiebetür. Aus: Der Vater und sein erstes Kind. Mit freundlicher Genehmigung des Ernst Heimeran Verlags, München.

Sergius Pantojew: Weihnachtslegende. Aus: Russische Weihnacht. Herausgegeben von Alexander Simon. Mit freundlicher Genehmigung der Verlags-AG Die Arche, Zürich 1965, 1985.

Budd Schulberg: Mein Weihnachtsmärchen. Aus: Gesichter in der Menge. © 1938 Budd Schulberg. Mit freundlicher Genehmigung der C. Bertelsmann Verlag GmbH.

Reinhold Schneider: Der Strand ohne Heimweh. Aus: Gesammelte Werke in 10 Bänden. Mit freundlicher Genehmigung des Insel Verlags, Frankfurt am Main 1982.

Truman Capote: Eine Weihnachtserinnerung. Aus: Die schönsten Erzählungen. Mit freundlicher Genehmigung der Limes Verlag Niedermayer und Schlüter GmbH, Wiesbaden und München.

Leonid Andrejew: Das Engelchen. Aus: Russische Weihnacht.

Herausgegeben von Alexander Simon. Verlags-AG Die Arche, Zürich 1965, 1985. Übersetzung: Olga Flohr.

PETER ROSEGGER: Als ich die Christtagsfreude holen ging. Aus: Geschichten aus der Waldheimat. Staackmann Verlag, München.

Rudolf B. Binding: Das Peitschchen. Aus: Gesammelte Werke. Mit freundlicher Genehmigung der C. Bertelsmann Verlag GmbH, München.

LUCRETIA PEABODY HALE: Der Weihnachtsbaum der Familie Peterkin. Aus: Alan Wood: Weihnacht der Neuen Welt. Weihnachtserzählungen aus Amerika. Mit freundlicher Genehmigung der Verlags-AG Die Arche, Zürich 1969.

ALEXANDER LERNET-HOLENIA: Österreichische Weihnachtslegende. Aus: Das Bad an der belgischen Küste. Mit freundlicher Genehmigung der Paul Zsolnay Verlag Gesellschaft m.b.H., Wien/Hamburg.

ASTRID LINDGREN: Pelle zieht aus. Aus: Sammelaugust und andere Kinder. Mit freundlicher Genehmigung des Verlags Friedrich Oetinger, Hamburg 1952.

BERTIL MALMBERG: Die Weihnachtsgeschenke. Aus: Ein Licht auf Erden. Advents- und Weihnachtsgeschichten. Herausgegeben von Annemarie Gregor-Dellin. Mit freundlicher Genehmigung der Nymphenburger Verlagshandlung GmbH, München.

SIEGFRIED LENZ: Fröhliche Weihnachten oder Das Wunder von Striegeldorf. © Siegfried Lenz, 1957. Mit freundlicher Genehmigung des Autors.

ALEXEJ TOLSTOI: Der Tannenbaum. Aus: Nikitas Kindheit. Mit freundlicher Genehmigung des Erich Roth Verlags, Kassel. Übersetzung: Cornelius Bergmann.

KNUT HAMSUN: Weihnachten in der Berghütte. Aus: Die Novellen. Mit freundlicher Genehmigung des Albert Langen Georg Müller Verlags, München/Wien.

O. HENRY: Das Geschenk der Weisen. Aus: Unschuldsengel vom Broadway. Verlag Rütten & Loenig, Berlin. Übersetzung: Christine Hoeppner.

OSKAR MARIA GRAF: Die Weihnachtsgans. Aus: Raskolnikow auf dem Lande. Aufbau-Verlag, Berlin und Weimar. Mit freundlicher Genehmigung von Frau Dr. Gisela Graf, New York.

William Sarojan: Drei Tage nach Weihnachten. Aus: Assyrische und andere Geschichten. Mit freundlicher Genehmigung von Mohrbooks, Literary Agency Rainer Heumann, Zürich.

Saki (H. H. Munro): Dankesbriefe. Aus: Englische Weihnacht. Herausgegeben von Ronald Stern Verlags-AG Die Arche, Zürich.

Felix Timmermanns: Sankt Nikolaus in Not. Aus: Der Heilige der kleinen Dinge und andere Erzählungen. Mit freundlicher Genehmigung des Insel Verlags, Frankfurt am Main 1974.

Karl Heinrich Waggerl: Worüber das Christkind lächeln mußte. Aus: Und es begab sich ... Mit freundlicher Genehmigung des Otto Müller Verlags, Salzburg.

Manfred Hausmannn: Weg in die Dämmerung. Aus: Keiner weiß die Stunde. Gedichte. Mit freundlicher Genehmigung des Neukirchener Verlags, Neukirchen-Vluyn 1974.